1단계 완성 스케줄표

공부한 날		주	일	학습 내용
월	일	**1**주	도입	이번 주에는 무엇을 공부할까요?
			1일	같은 모양끼리 모으기
월	일		2일	모양을 자르고 붙이기
월	일		3일	모양을 쌓아 보고 굴려 보기
월	일		4일	모양 엿보기
월	일		5일	여러 방향에서 본 모양
			평가 / 특강	누구나 100점 맞는 테스트 / 창의·융합·코딩
월	일	**2**주	도입	이번 주에는 무엇을 공부할까요?
			1일	쉽게 쌓을 수 있는 모양
월	일		2일	순서대로 쌓기
월	일		3일	모양 비교하기
월	일		4일	사용한 모양 조각의 개수
월	일		5일	주어진 블록으로 만들기
			평가 / 특강	누구나 100점 맞는 테스트 / 창의·융합·코딩
월	일	**3**주	도입	이번 주에는 무엇을 공부할까요?
			1일	일부분을 보고 전체 모양 찾기
월	일		2일	■, ▲, ● 모양 접어 보기
월	일		3일	사용한 모양 조각의 개수
월	일		4일	■, ▲ 모양으로 만든 모양 알아보기
월	일		5일	주어진 모양을 모두 사용하여 꾸미기
			평가 / 특강	누구나 100점 맞는 테스트 / 창의·융합·코딩
월	일	**4**주	도입	이번 주에는 무엇을 공부할까요?
			1일	겹친 모양 알아보기
월	일		2일	구멍 난 종이 겹치기
월	일		3일	규칙 찾기
월	일		4일	회전 규칙 찾기
월	일		5일	패턴 규칙 찾기
			평가 / 특강	누구나 100점 맞는 테스트 / 창의·융합·코딩

공부한 날을 표시하고 하루하루 학습 내용을 살펴보세요.

Chunjae Maketh Chunjae

▼

기획총괄	지유경
편집개발	정소현, 조선영, 원희정, 이정선, 최윤석, 김선주, 박선민
디자인총괄	김희정
표지디자인	윤순미, 안채리
내지디자인	박희춘, 이혜진
제작	황성진, 조규영

발행일	2020년 11월 15일 초판 2020년 11월 15일 1쇄
발행인	(주)천재교육
주소	서울시 금천구 가산로9길 54
신고번호	제2001-000018호
고객센터	1577-0902

똑 똑 한

하루
도형

1 단계

 **Contents**

이 책의 **특징**

 도입

이번 주에는 무엇을 공부할까요?

▶ **이번 주에 공부할 내용**을 만화로 재미있게!

> 이번 주에 배울 내용을
> 쉽고 재미있는 만화로 확인!

 개념 완성

주 5일 학습

▶ **활동**을 통해 **도형 개념**을 쉽게 이해해요!

> 도형 개념을
> 만화로 쏙쏙!

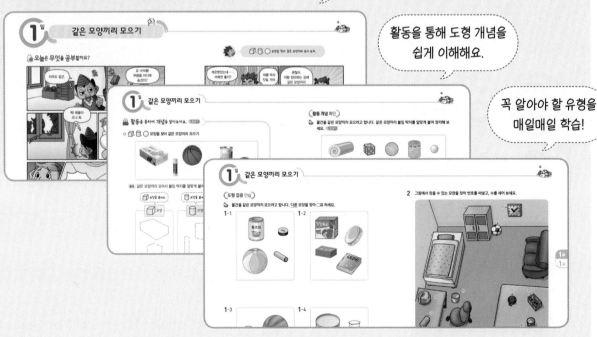

> 활동을 통해 도형 개념을
> 쉽게 이해해요.

> 꼭 알아야 할 유형을
> 매일매일 학습!

평가 | 주별 평가

▶ **한 주간 배운 내용**을 확인해요.

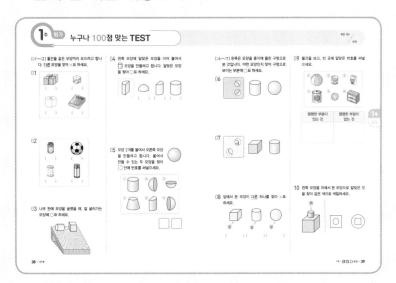

5일 동안 공부한
내용을 확인해요.

특강 | 창의·융합·코딩

▶ **창의·융합·코딩** 문제로 창의력과 사고력이
길러져요!

특강 문제까지
해결하면 창의력과
사고력이 쑥쑥!

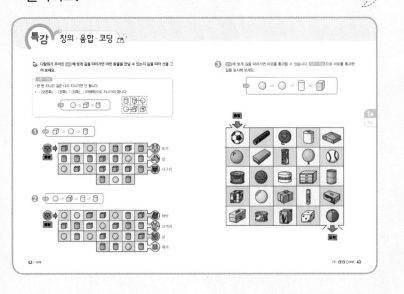

이 책에 나오는 인물

민혁

때로는 사고뭉치, 때로는 마음 따뜻
한 아이. 감정 표현이 풍부하다.

연우

활달하고 똑부러지는 아이.
호기심이 넘치고 친구들을 잘 챙겨
준다.

두리

두리별에서 온 외계인.
도형을 초능력으로 움직일 수 있다.
민혁, 연우와는 좋은 친구!

하롱 박사

민혁, 연우, 두리를 괴롭히고 싶어
하지만 실은 외로움을 잘 타는 성격
이다.

1주 ⬛, 🔵, ⚪ 모양

 이번 주에는 무엇을 공부할까요? ①

❋ 여러 가지 모양 찾기

🐻 똑같은 모양을 찾아 같은 색으로 칠하세요.

1-1

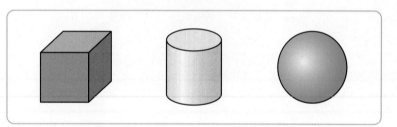

1-2

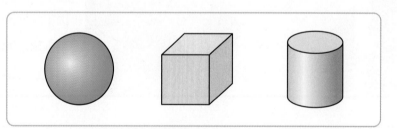 

1-3

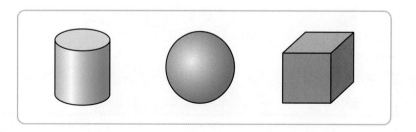

✽ 같은 모양끼리 모으기

🐻 **모양이 다른 하나를 찾아 ✕표 하세요.**

2-1

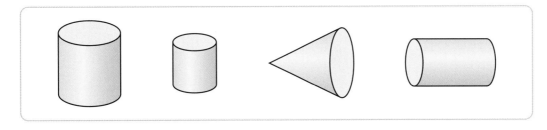

2-2

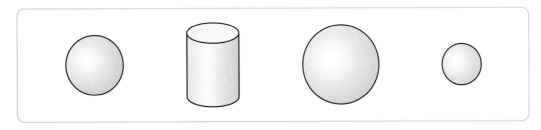

2-3

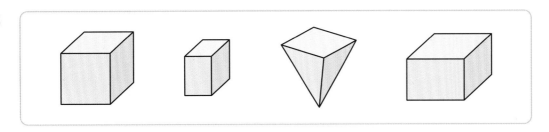

1^일 같은 모양끼리 모으기

🐻 오늘은 무엇을 공부할까요?

⬛, 🥫, ⚪ 모양을 찾아 같은 모양끼리 모아 보자.

같은 모양끼리 모으기

🐻 **활동**을 통하여 **개념**을 알아보아요. 활동지

○  모양을 찾아 같은 모양끼리 모으기

활동 같은 모양끼리 모아서 붙임 딱지를 알맞게 붙여 보기

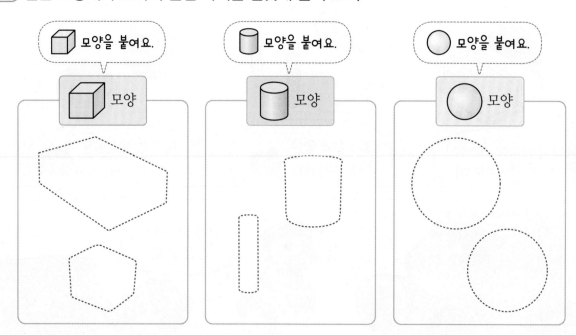

🐻 **개념** 짚어 보기

• 같은 모양끼리 모으기

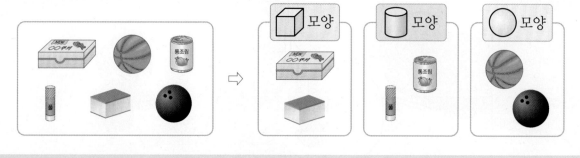

활동 개념 확인

물건을 같은 모양끼리 모으려고 합니다. 같은 모양끼리 붙임 딱지를 알맞게 붙여 정리해 보세요. 활동지

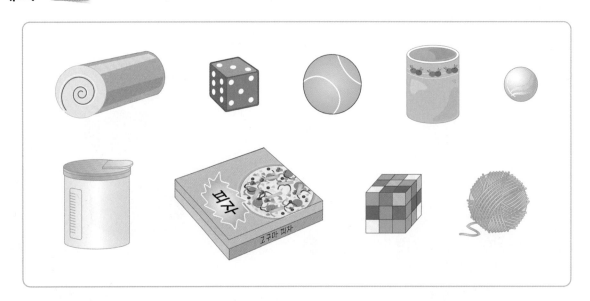

1-1

1-2

1-3

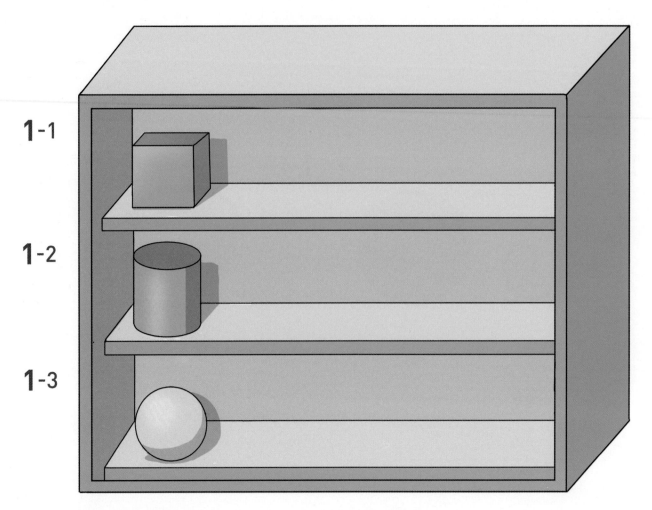

1^일 같은 모양끼리 모으기

🐢 물건을 같은 모양끼리 모으려고 합니다. <u>다른</u> 모양을 찾아 ◯표 하세요.

1-1

1-2

1-3
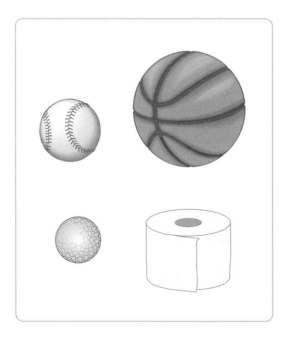

1-4

2 그림에서 찾을 수 있는 모양을 찾아 번호를 써넣고, 수를 세어 보세요.

⬛ 모양		☐ 개
⬛ 모양		☐ 개
◯ 모양		☐ 개

모양을 자르고 붙이기

 오늘은 무엇을 공부할까요?

🥫 모양을 자르면 이렇게 생겼구나.

무시무시해

좋아! 계속해서……

영

차

쾅!

이

얌

앗! 아직도 남았어?

핫

다음은 🥫 모양을 눕혀서 잘라줘.

⚪ 모양은 어느 쪽으로 반으로 잘라도 모양이 똑같구나~.

하지만 🥫 모양은 자르는 방향에 따라 잘린 모양이 다르네!

잘린 모양이 모두 🔲 모양이야.

이걸로 숙제를 하면 되겠다!

두리야, 고마워!

머엉

모양을 자르고 붙이기

 활동을 통하여 **개념**을 알아보아요.

○ 모양을 2조각으로 잘라 잘린 모양 알아보기

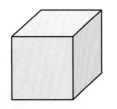  

활동 점선을 따라 자르기

점선을 따라 잘라 보세요.

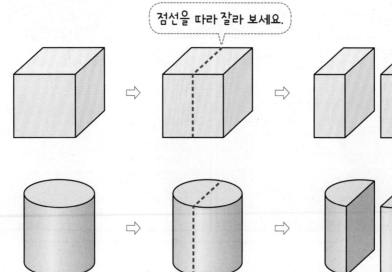

 개념 짚어 보기

• 자르는 방향에 따라 여러 가지 모양으로 자를 수 있습니다.

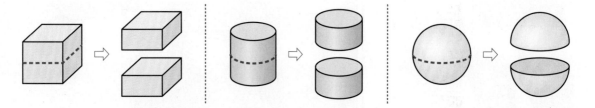

(활동 개념 확인)

1 왼쪽 모양을 2조각으로 나눈 것을 찾아 선으로 이어 보세요.

 •

•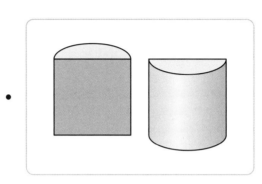

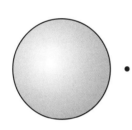 •

•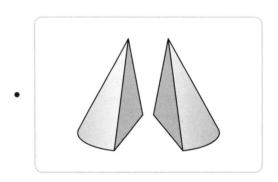

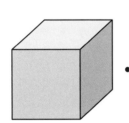 •

•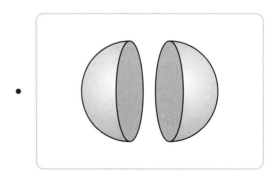

 •

•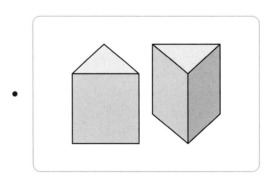

모양을 자르고 붙이기

(도형 집중 연습)

왼쪽 모양에 알맞은 모양을 이어 붙여서 , , 모양을 만들려고 합니다. 알맞은 모양을 찾아 ○표 하세요.

1-1

 ⇨

1-2

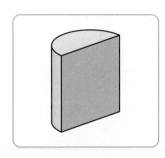 ⇨

1-3

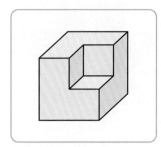 ⇨

1-4

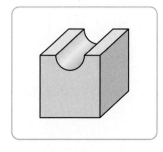 ⇨

보기의 모양 2개를 붙여서 주어진 모양을 만들려고 합니다. 붙여서 만들 수 있는 두 모양을 찾아 ☐ 안에 번호를 써넣으세요.

보기

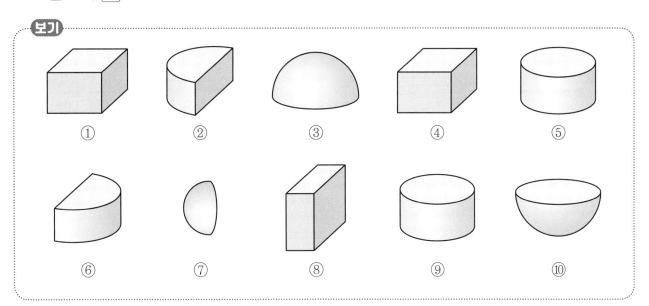

① ② ③ ④ ⑤

⑥ ⑦ ⑧ ⑨ ⑩

2-1

2-2

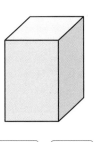

☐ , ☐

2-3

2-4

모양을 쌓아 보고 굴려 보기

🐻 **오늘은 무엇을 공부**할까요?

모양을 쌓아 보고 굴려 보기

 활동을 통하여 개념을 알아보아요.

○ , , ○ 모양의 물건을 쌓아 보고 굴려 보기

> **활동 1** 과자 상자, 통조림통, 구슬을 각각 쌓아 보기

• 평평한 부분으로 쌓아 보기 | • 둥근 부분으로 쌓아 보기

> 평평한 부분으로 쌓으면 쌓기가 쉬운 데 둥근 부분으로는 쌓기가 어려워요.

> **활동 2** 과자 상자, 통조림통, 구슬을 굴려 보기

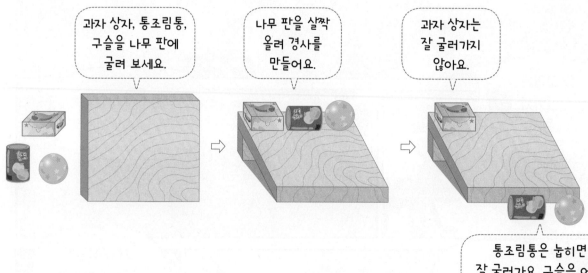

> 과자 상자, 통조림통, 구슬을 나무 판에 굴려 보세요.

> 나무 판을 살짝 올려 경사를 만들어요.

> 과자 상자는 잘 굴러가지 않아요.

> 통조림통은 눕히면 잘 굴러가요. 구슬은 어느 방향으로도 잘 굴러가요.

개념 짚어 보기

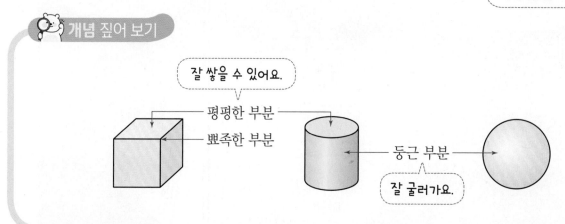

> 잘 쌓을 수 있어요.

평평한 부분
뾰족한 부분
둥근 부분
잘 굴러가요.

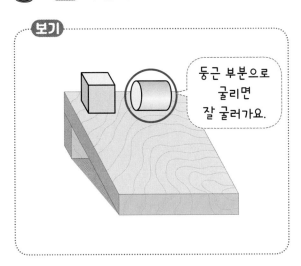 와 같이 나무 판에 모양을 굴렸을 때, 잘 굴러가는 모양에 ◯표 하세요.

보기

둥근 부분으로
굴리면
잘 굴러가요.

1-1

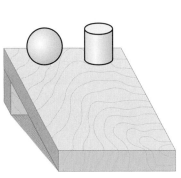

1주
3일

1-2

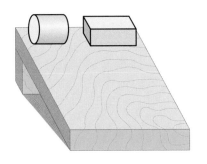

1-3

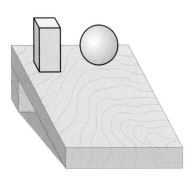

1-4

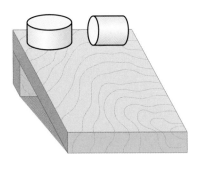

1-5

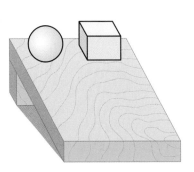

도형 집중 연습

🐸 물건을 보고 빈 곳에 알맞은 번호를 써넣으세요.

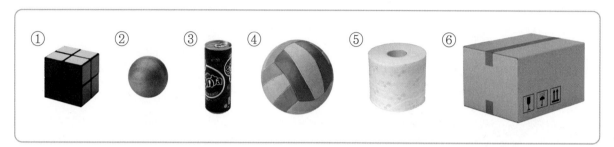

1-1

평평한 부분이 있는 것	평평한 부분이 없는 것

1-2

쉽게 쌓을 수 있는 것	쉽게 쌓을 수 없는 것

1-3

잘 굴러가는 것	잘 굴러가지 않는 것

1-4

뾰족한 부분이 있는 것	뾰족한 부분이 없는 것

2 윤석이가 잘 굴러가지 <u>않는</u> 모양을 모두 밟고 강을 건너 집에 가려고 합니다. 윤석이가 밟아야 하는 모양을 모두 찾아 색칠하세요.

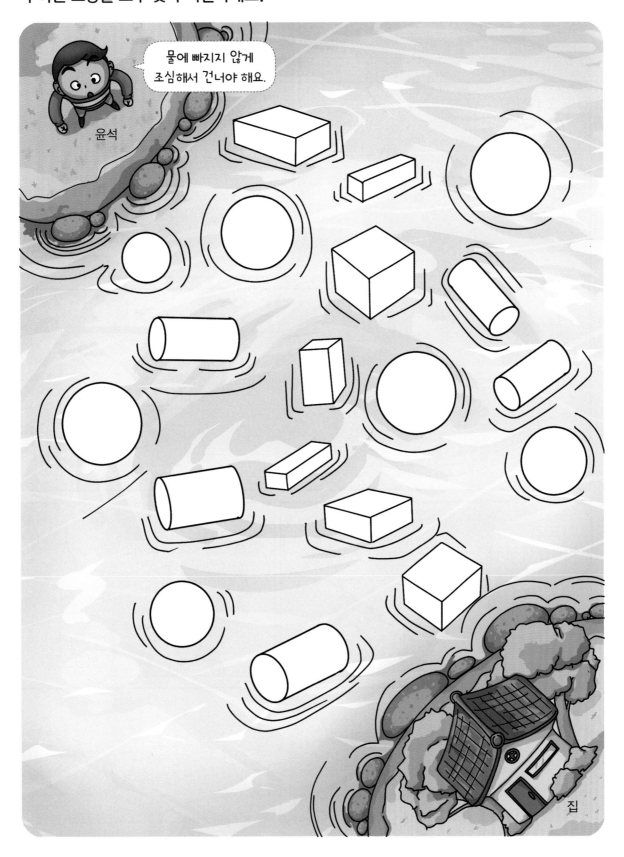

모양 엿보기

 오늘은 무엇을 공부할까요?

1주
4일

 일부분을 보고 모양을 알아맞혀 보자.

모양 엿보기

🐻 **활동을 통하여 개념을 알아보아요.**

◉ **일부분을 보고 모양 알아맞히기**

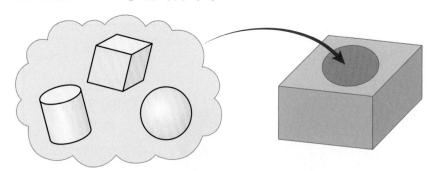

상자 안에 들어 있는 모양은 어떤 모양인지 알아볼까요?

(활동) 보이는 모양의 특징을 찾아 모양 알아맞히기

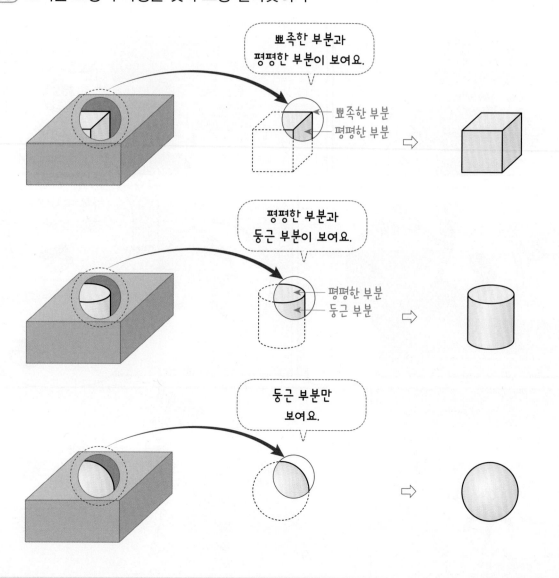

뾰족한 부분과 평평한 부분이 보여요.

뾰족한 부분
평평한 부분

평평한 부분과 둥근 부분이 보여요.

평평한 부분
둥근 부분

둥근 부분만 보여요.

어떤 모양의 일부분인지 찾아 ☐ 안에 기호를 써넣으세요.

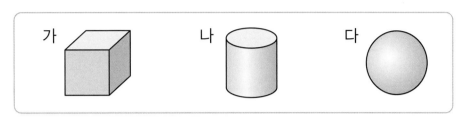

가 나 다

1-1

☐

1-2

☐

1-3

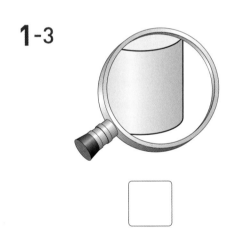

☐

1-4

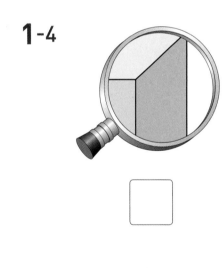

☐

1-5

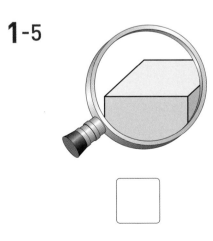

☐

1-6

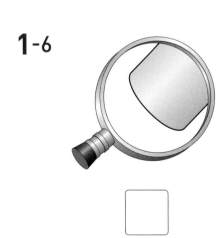

☐

4^일 모양 엿보기

왼쪽은 모양을 종이에 뚫린 구멍으로 본 것입니다. **보기** 와 같이 어떤 모양인지 찾아 구멍으로 보이는 부분에 ◯표 하세요.

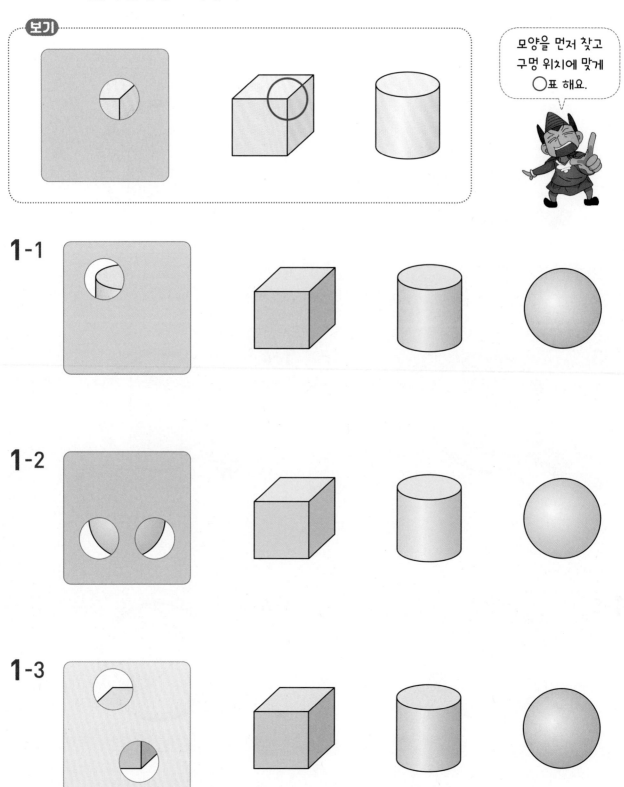

그림의 빠진 부분에 알맞은 조각을 찾아 ☐ 안에 번호를 써넣으세요.

2-1

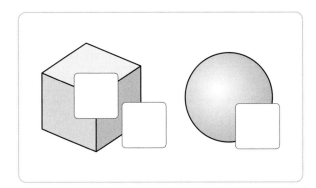

2-2

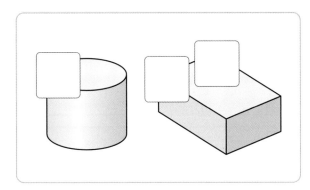

2-3

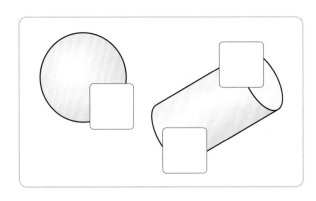

여러 방향에서 본 모양

 ## 오늘은 무엇을 공부할까요?

▢, ⬭, ◯ 모양의 물건을 찰흙에 찍은 모양을 알아보자.

여러 방향에서 본 모양

 활동을 통하여 **개념**을 알아보아요.

○ ⬜, 🔲, ○ 모양을 위, 앞에서 본 모양 알아보기

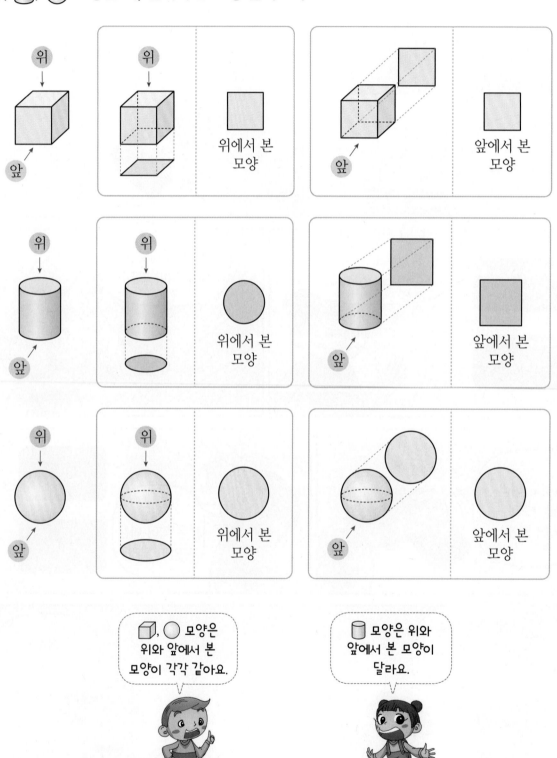

🍮 주어진 모양을 위에서 본 모양을 찾아 ◯표 하세요.

1-1

위

1-2

위

1-3

위

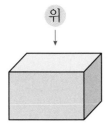

1-4

위

   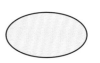

도형 집중 연습

🐸 앞에서 본 모양이 <u>다른</u> 하나를 찾아 ✕표 하세요.

1-1

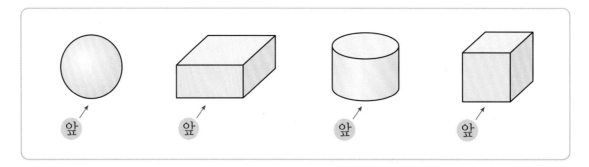

1-2

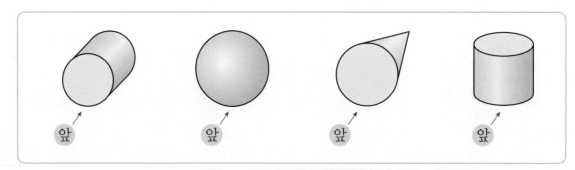

1-3

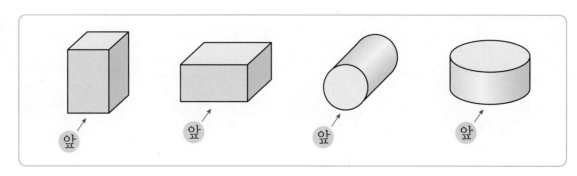

1-4

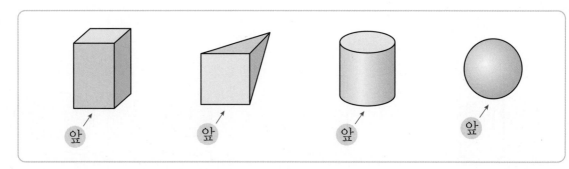

주어진 모양을 위에서 본 모양으로 알맞은 것을 찾아 같은 색으로 색칠하세요.

2-1

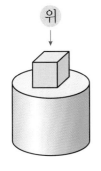

 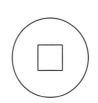 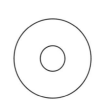

2-2

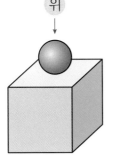

2-3

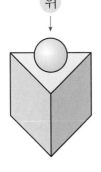

2-4

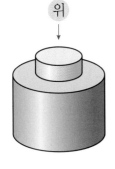

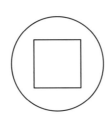 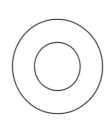 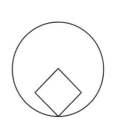

[01~02] 물건을 같은 모양끼리 모으려고 합니다. 다른 모양을 찾아 ✕표 하세요.

01

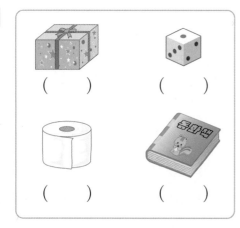

( )　　　　　( )

( )　　　　　( )

02

( )　　　　　( )

( )　　　　　( )

03 나무 판에 모양을 굴렸을 때, 잘 굴러가는 모양에 ○표 하세요.

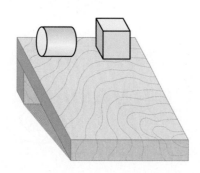

04 왼쪽 모양에 알맞은 모양을 이어 붙여서 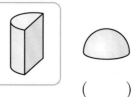 모양을 만들려고 합니다. 알맞은 모양을 찾아 ○표 하세요.

( )　　( )　　( )

05 모양 2개를 붙여서 오른쪽 모양을 만들려고 합니다. 붙여서 만들 수 있는 두 모양을 찾아 ☐ 안에 번호를 써넣으세요.

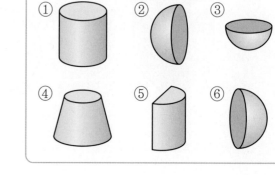

,

[06~07] 왼쪽은 모양을 종이에 뚫린 구멍으로 본 것입니다. 어떤 모양인지 찾아 구멍으로 보이는 부분에 ◯표 하세요.

06

07

 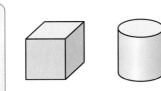

08 앞에서 본 모양이 <u>다른</u> 하나를 찾아 ✕표 하세요.

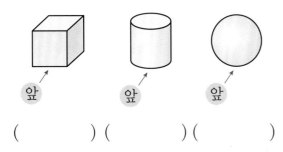

(   ) (   ) (   )

09 물건을 보고, 빈 곳에 알맞은 번호를 써넣으세요.

평평한 부분이 있는 것	평평한 부분이 없는 것

10 왼쪽 모양을 위에서 본 모양으로 알맞은 것을 찾아 같은 색으로 색칠하세요.

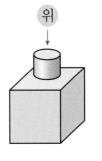

길 찾기 도사 밤톨이

○ → ⬜ → ⬭ 모양 순서로 이동하고
→ (오른쪽), ← (왼쪽), ↑ (위쪽), ↓ (아래쪽)으로만 움직여요.

좋아! 좋아!
아주 잘했어!

1주

특강

약속한
도토리는요?

어! 그게…
지금은 없는데?

특강 창의·융합·코딩

다람쥐가 주어진 순서에 맞게 길을 따라가면 어떤 동물을 만날 수 있는지 길을 따라 선을 그어 보세요.

길찾기 방법

• 한 번 지나간 길은 다시 지나가면 안 됩니다.
• → (오른쪽), ← (왼쪽), ↑ (위쪽), ↓ (아래쪽)으로 지나가야 합니다.

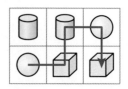

1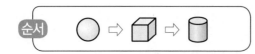

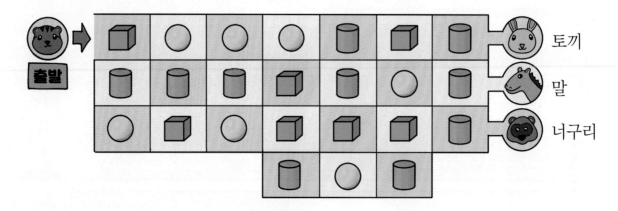

2 순서 ⭕ ⇨ 🔲 ⇨ 🥛 ⇨ 🥛

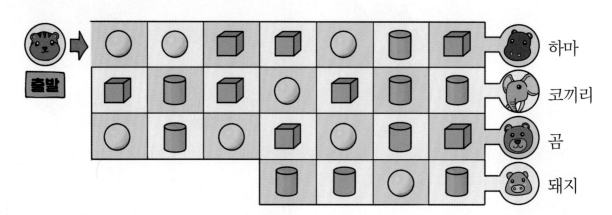

3 순서 에 맞게 길을 따라가면 미로를 통과할 수 있습니다. 길찾기 방법 으로 미로를 통과한 길을 표시해 보세요.

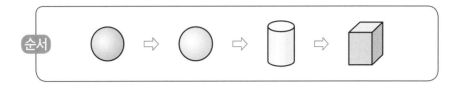

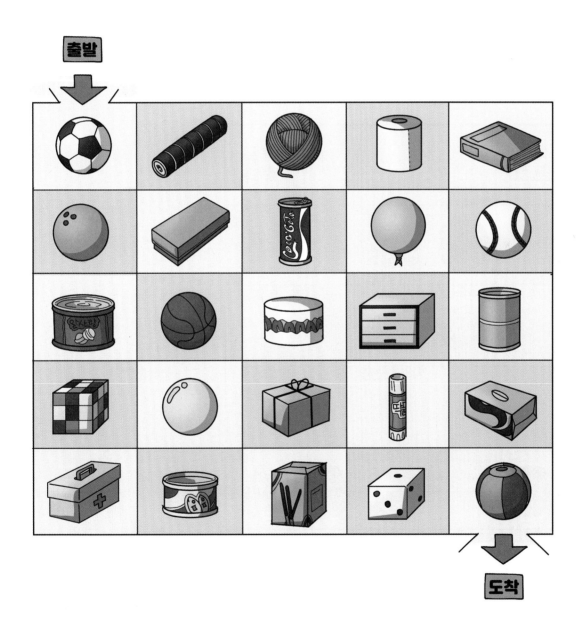

 와 같이 빈칸이 없게 같은 모양의 물건끼리 선으로 연결하세요. (단, 모든 칸에 선이 한 번씩 지나가야 합니다.)

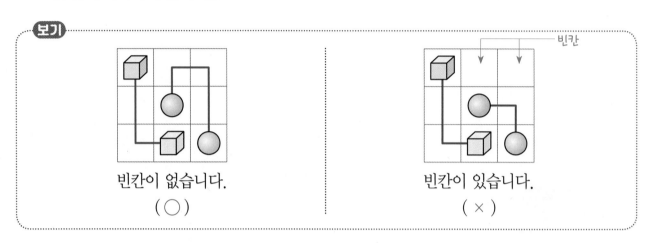

보기

빈칸이 없습니다.
(◯)

빈칸이 있습니다.
(×)

4

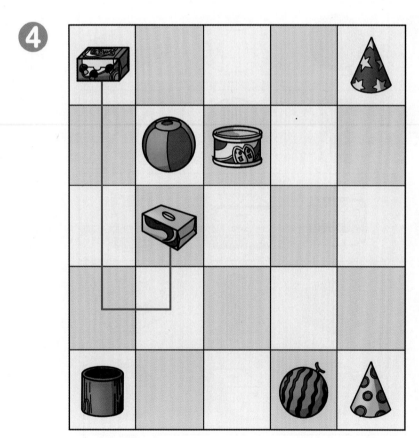

빈칸이 없게
선을 모두 그어야
해요.

❺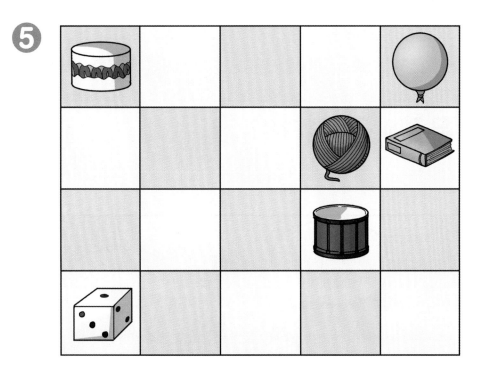

❻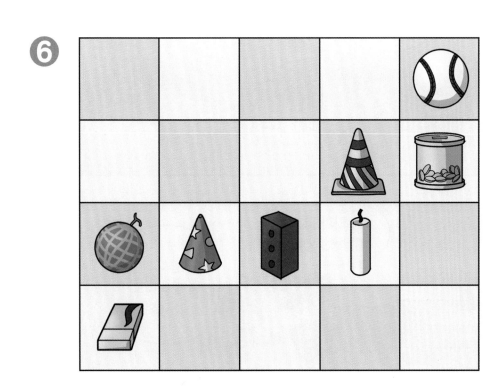

2주 블록으로 만든 모양

 이번 주에는 무엇을 공부할까요? ①

이번 주에는 무엇을 공부할까요? 2

✳ 한 가지 모양으로 만들어 보기

🐻 사용한 모양에 ◯표 하세요.

1-1

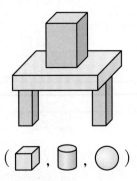

(🔲 , 🗂 , ◯)

1-2

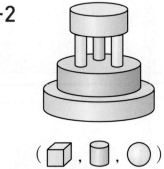

(🔲 , 🗂 , ◯)

1-3

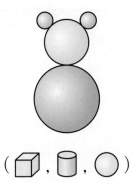

(🔲 , 🗂 , ◯)

1-4

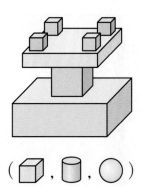

(🔲 , 🗂 , ◯)

✳ 만든 모양을 보고 사용하지 않은 모양 찾기

🐻 사용하지 <u>않은</u> 모양에 ✕표 하세요.

2-1

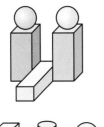

(⬜ , ⬛ , ⭕)

2-2

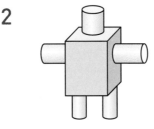

(⬜ , ⬛ , ⭕)

2-3

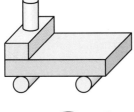

(⬜ , ⬛ , ⭕)

2-4

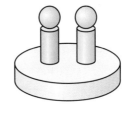

(⬜ , ⬛ , ⭕)

 오늘은 무엇을 공부할까요?

가지고 있는 ☐, ⬭, ◯ 모양을 여러 가지 방법으로 쌓아 보자.

🐻 **활동**을 통하여 **개념**을 알아보아요.

◉ 가지고 있는  모양을 여러 방법으로 쌓아 보기

연우   민혁

활동 가지고 있는 📦, 🥫, ⚪ 모양을 쌓아 보기

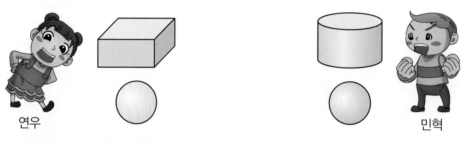

평평한 부분 위에는
쉽게 쌓을 수 있어요.

📦 모양과 🥫 모양의
평평한 부분 위에는 쉽게
쌓을 수 있어요.

(○)   (○)

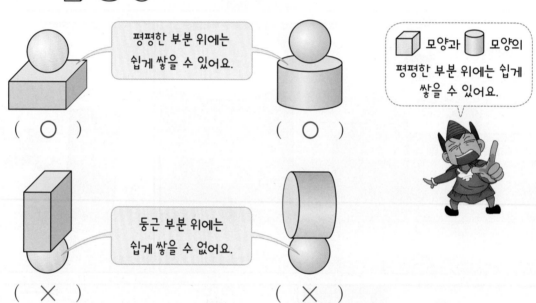

둥근 부분 위에는
쉽게 쌓을 수 없어요.

(✕)   (✕)

🐹 **개념** 짚어 보기

· 📦, 🥫, ⚪ 모양으로 여러 가지 모양을 쌓을 때 주의할 점

① ⚪ 모양 위에 다른 모양을 쉽게 쌓을 수 없습니다.

② 접착제를 사용하지 않고 블록을 다음과 같이 놓을 수 없습니다.

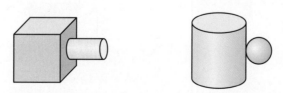

🐢 쉽게 쌓을 수 <u>없는</u> 모양을 찾아 ╳표 하세요.

1-1

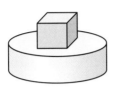  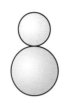

1-2

  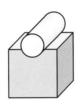 

1-3

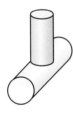 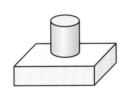  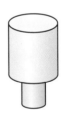

1-4

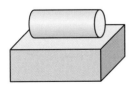 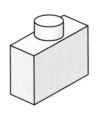 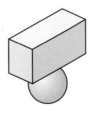 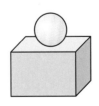

쉽게 쌓을 수 있는 모양

1 쉽게 쌓을 수 있는 모양은 ○표, 쉽게 쌓을 수 <u>없는</u> 모양은 ✕표 하세요.

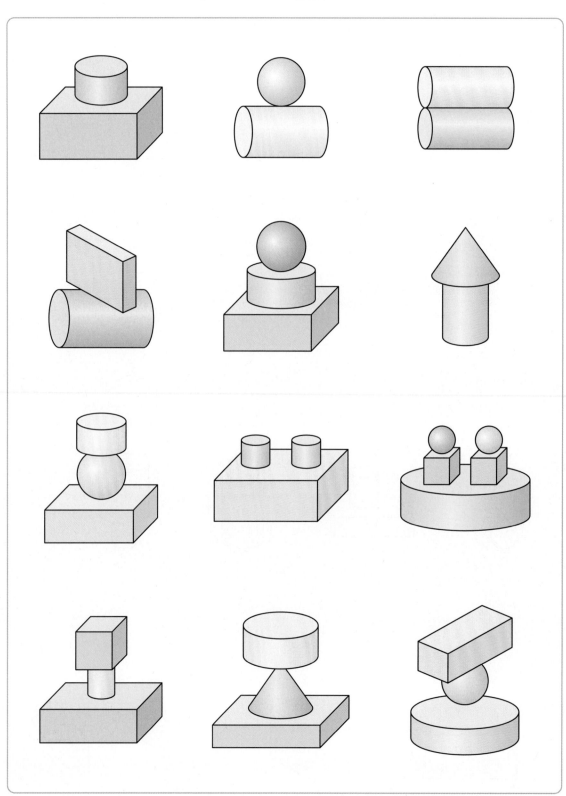

2 주어진 블록 중 4개를 사용하여 가장 높이 쌓을 수 있도록 블록 모양의 붙임 딱지를 골라 나타내어 보세요. 활동지

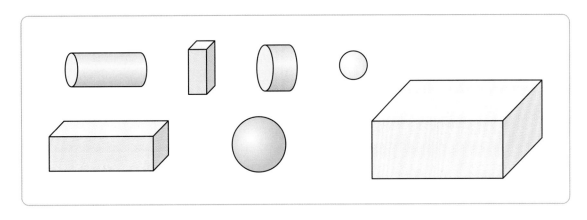

순서대로 쌓기

 오늘은 무엇을 공부할까요?

고양이가 놀 수 있도록 탑처럼
높게 만든 구조물.

오, 마음에 드나 봐!

뿌직!

풀짝!

오늘은 정말 재미있는 날이야!

이제 그만 갈까?

응? 꼬맹이들이잖아? 뭐가 저렇게 신났지?

성공이야. 고양이가 올라갔어.

크크……. 무슨 말을 하는지 들어봐야겠다!

버겁!

힝!

이게 웬 비명소리?

하롱 박사 목소리 같은데…….

으갸 아약!

2^일 순서대로 쌓기

🐻 **활동**을 통하여 **개념**을 알아보아요.

● 주어진 블록을 모두 이용하여 순서대로 쌓아 보기

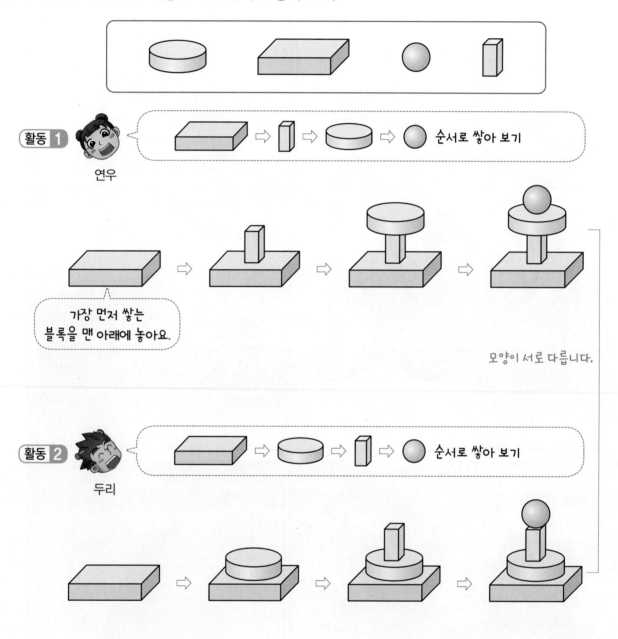

활동 **1** 연우 : ▭ ⇨ ▯ ⇨ ⬭ ⇨ ● 순서로 쌓아 보기

가장 먼저 쌓는 블록을 맨 아래에 놓아요.

모양이 서로 다릅니다.

활동 **2** 두리 : ▭ ⇨ ⬭ ⇨ ▯ ⇨ ● 순서로 쌓아 보기

⇨ 활동 **1** 과 활동 **2** 를 비교해 보면 주어진 블록이 같아도 쌓는 순서가 다르면 모양이 달라집니다.

다음과 같은 순서로 쌓은 모양을 **보기** 에서 찾아 기호를 쓰세요.

보기

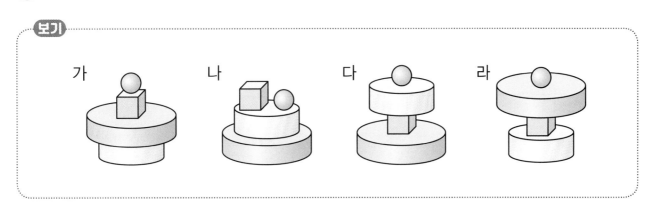

가　나　다　라

1-1

이 블록이 맨 아래에
쌓여 있는 모양을 찾아보세요.

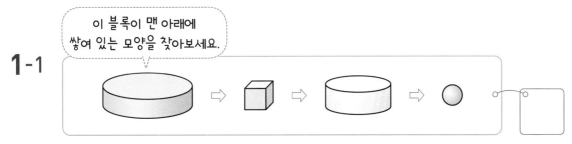

1-2

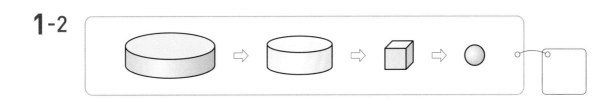

1-3

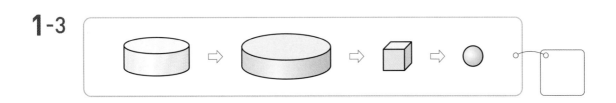

1-4

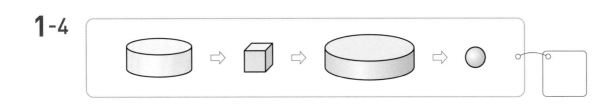

2^일 순서대로 쌓기

(도형 집중 연습)

다음과 같은 순서로 쌓은 모양으로 알맞은 것을 찾아 ◯표 하세요.

1-1

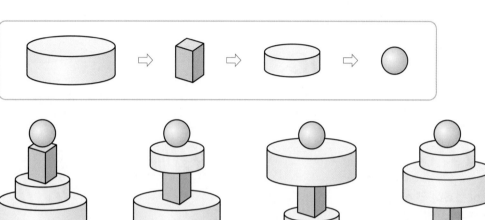

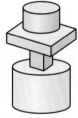  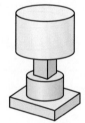 

1-2

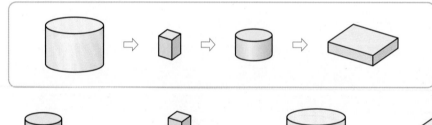

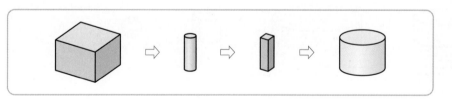

1-3

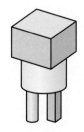 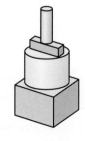 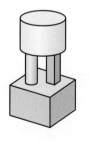 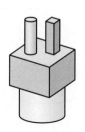

💡 왼쪽은 어떤 순서로 쌓은 모양인지 쌓은 순서대로 블록을 찾아 번호를 쓰세요.

2-1

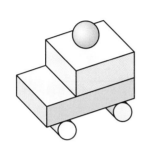

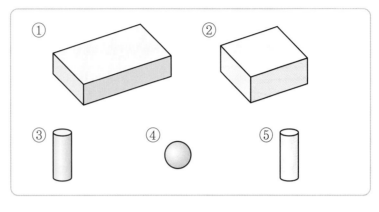

⑤ → ☐ → ☐ → ☐ → ☐

2-2

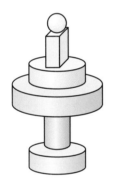

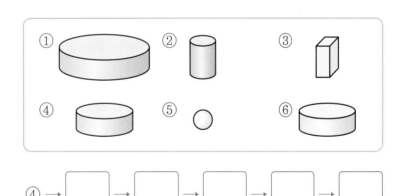

④ → ☐ → ☐ → ☐ → ☐ → ☐

2-3

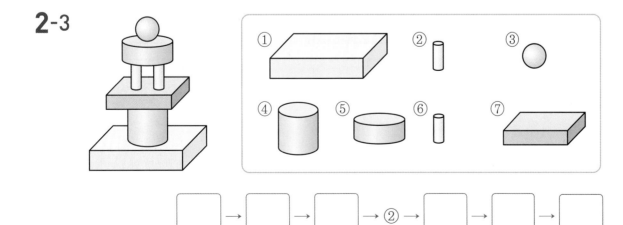

☐ → ☐ → ☐ → ② → ☐ → ☐ → ☐

모양 비교하기

 오늘은 무엇을 공부할까요?

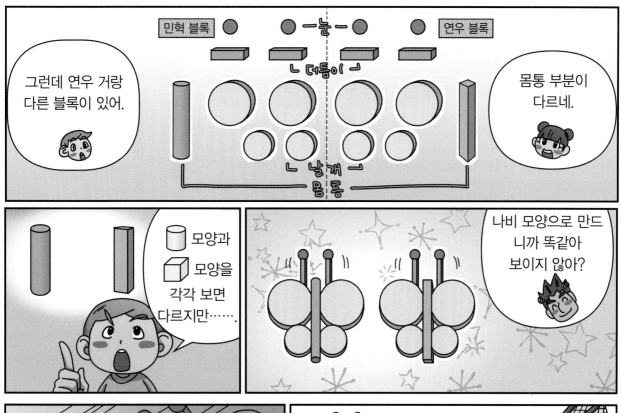

그런데 연우 거랑 다른 블록이 있어.

몸통 부분이 다르네.

⬤ 모양과 ⬛ 모양을 각각 보면 다르지만······.

나비 모양으로 만드니까 똑같아 보이지 않아?

가라! 나비들아!!

거대 나비들이 날 쫓아온다〜〜!

두리가 나비를 구했어.

참 다행이야!

3^일 모양 비교하기

🐻 **활동**을 통하여 **개념**을 알아보아요.

◉ 붙여 만든 모양을 보고 다른 블록 찾아보기

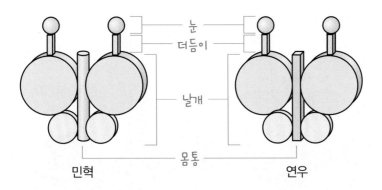

민혁이와 연우가 만든 나비 모양에서 각 부분의 블록을 비교하여 다른 부분을 찾아보세요.

활동 각 부분에 사용된 블록을 차례로 비교해 보기

민혁		연우	
◯◯	눈	◯◯	→ 같습니다.
▯▯	더듬이	▯ ▯	→ 같습니다.
	날개와 몸통		

몸통 부분이 다릅니다.

각 부분에 사용된 블록을 차례로 비교하면 몸통 부분이 다릅니다.

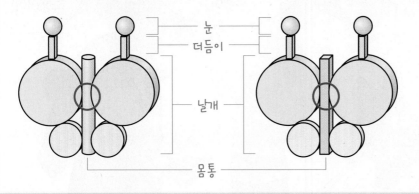

각 부분에 사용된 블록을 차례로 비교해 봐요.

😊 두 모양에서 서로 <u>다른</u> 부분을 모두 찾아 오른쪽 모양에 ◯표 하세요.

1-1

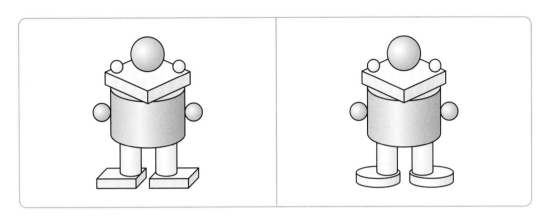

1-2

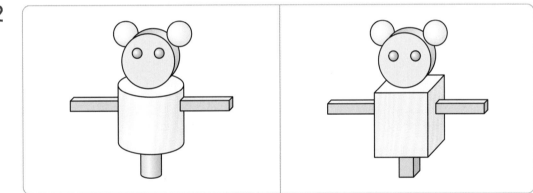

1-3

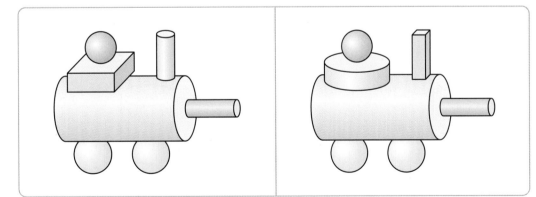

도형 집중 연습

🐢 왼쪽 모양과 오른쪽 모양을 비교하여 오른쪽 모양에서 더 많이 사용한 블록을 모두 찾아 ○표 하세요.

1-1

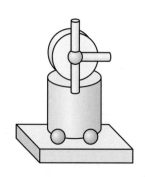 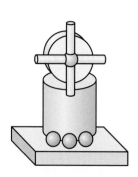 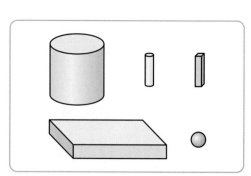

1-2

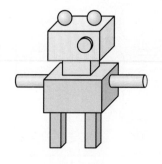 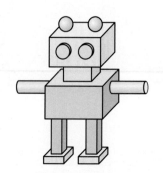 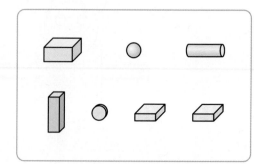

1-3

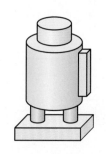 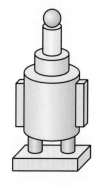 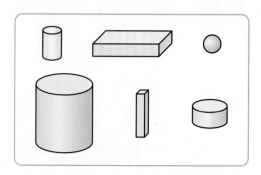

🐸 왼쪽 모양에는 없지만 오른쪽 모양에는 있는 블록을 찾아 ✕표 하세요.

2-1

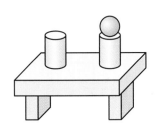

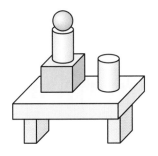

> 먼저 같은 블록을 찾아서 하나씩 지워 보세요.

2-2

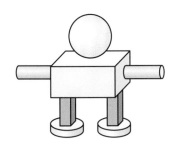

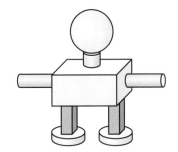

2-3

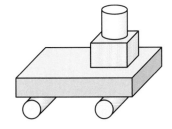

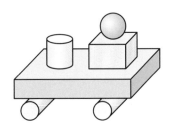

2-4

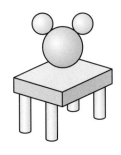

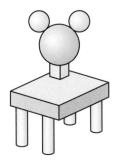

사용한 모양 조각의 개수

 오늘은 무엇을 공부할까요?

만들어진 모양을 보고 , , 모양의 개수를 세어 보자.

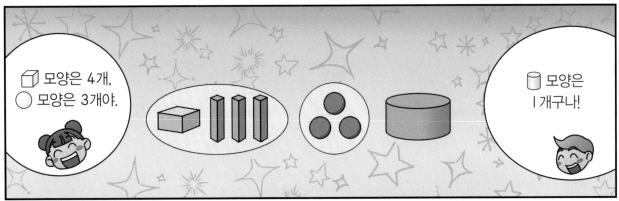

4일 사용한 모양 조각의 개수

🐻 **활동**을 통하여 **해결 방법**을 알아보아요.

● 우주선을 보고 만든 모양에 사용된 ⬛, 🔲, ⬤ 모양의 수 세어 보기

▲우주선

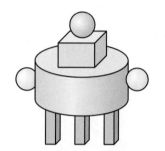

활동 **1** ⬛ 모양에 V표, 🔲 모양에 /표, ⬤ 모양에 ✕표 하기

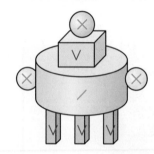

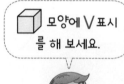

⬛ 모양에 V표시를 해 보세요.

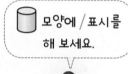

🔲 모양에 /표시를 해 보세요.

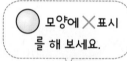

⬤ 모양에 ✕표시를 해 보세요.

활동 **2** ⬛, 🔲, ⬤ 모양의 수 세어 보기

→V표 ⬛ 모양	→/표 🔲 모양	→✕표 ⬤ 모양
4개	1개	3개

🐻 **해결 방법** 짚어 보기

· ⬛, 🔲, ⬤ 모양의 수를 셀 때에는 빠뜨리거나 여러 번 세지 않도록 모양별로 V, /, ✕ 표시를 하면서 하나씩 세어 봅니다.

예
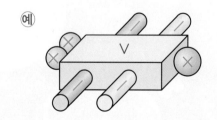

┌ ⬛ 모양(V표): 1개

├ 🔲 모양(/표): 4개

└ ⬤ 모양(✕표): 3개

(해결 방법 확인)

🚗 모양을 보고 ⬜, ⬛, ⚪ 모양의 수를 세어 빈칸에 알맞게 써넣으세요.

1-1

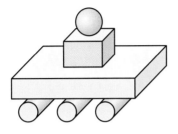

⬜ 모양		개
🛢 모양		개
⚪ 모양		개

1-2

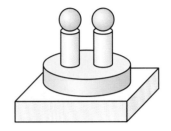

⬜ 모양		개
🛢 모양		개
⚪ 모양		개

1-3

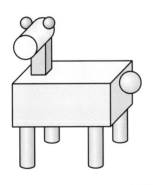

⬜ 모양		개
🛢 모양		개
⚪ 모양		개

1-4

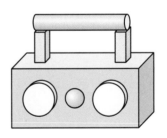

⬜ 모양		개
🛢 모양		개
⚪ 모양		개

4^일 사용한 모양 조각의 개수

(도형 집중 연습)

 모양을 보고 ⬛, 🔵, ⚪ 모양 중 가장 적게 사용한 모양을 찾아 색칠하세요.

1-1

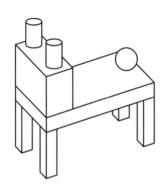

> ⬛, 🔵, ⚪ 모양별로
> 수를 세어 보고 개수를
> 비교해 보세요.

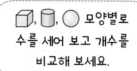

1-2

1-3

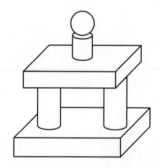

1-4

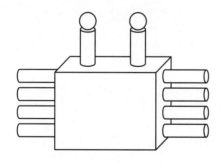

1-5

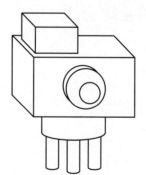

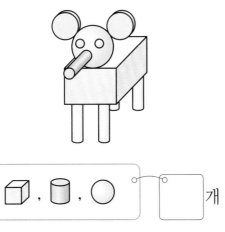 , , ◯ 모양을 사용하여 만든 모양입니다. 가장 많이 사용한 모양에 ◯표 하고 몇 개인지 구하세요.

2-1

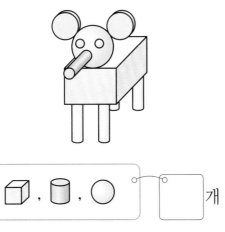

◻, ◻, ◯ ─── ◻ 개

2-2

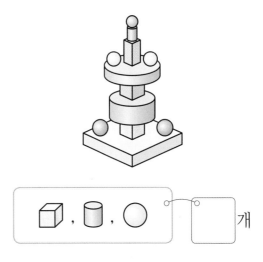

◻, ◻, ◯ ─── ◻ 개

2-3

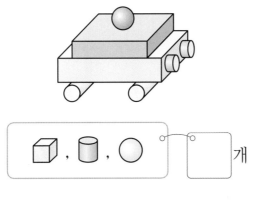

◻, ◻, ◯ ─── ◻ 개

2-4

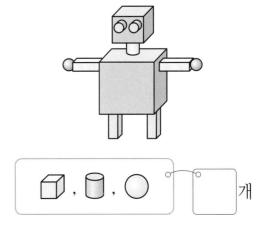

◻, ◻, ◯ ─── ◻ 개

2-5

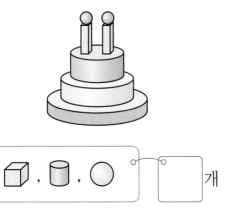

◻, ◻, ◯ ─── ◻ 개

2-6

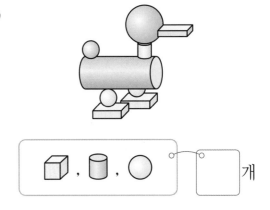

◻, ◻, ◯ ─── ◻ 개

5^일 주어진 블록으로 만들기

 오늘은 무엇을 공부할까요?

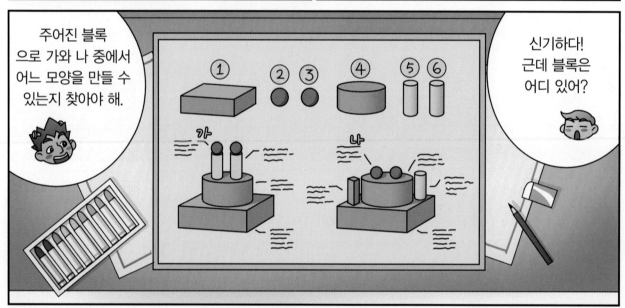

주어진 블록을 모두 사용하여 만들어진 모양을 찾아보자.

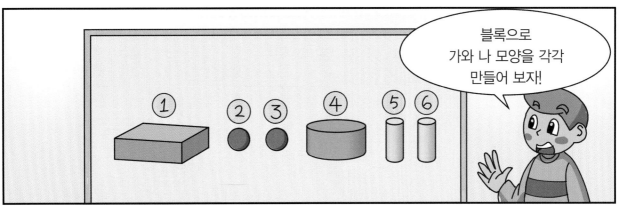

블록으로 가와 나 모양을 각각 만들어 보자!

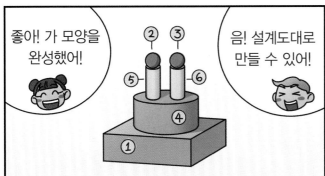

좋아! 가 모양을 완성했어!

음! 설계도대로 만들 수 있어!

하지만 나 모양에 있는 ⬜ 모양의 블록은 주어진 블록이 아니네.

설계도로 만들 수 있는 모양은 가 모양이야.

두리야, 네가 준 설계도는 케이크 모양 같아.

하하~~ 내 생일에 꼭 받고 싶은 케이크는 아니야~!

두리가 생일에 받고 싶은 케이크 모양을 알려준 것 같아.

두리가 타고 온 우주선인 줄 알고 열심히 만들어 줬더니 …….

5일 주어진 블록으로 만들기

🐻 **활동**을 통하여 **해결 방법**을 알아보아요.

○ 주어진 블록을 모두 사용하여 만들 수 있는 모양 찾아보기

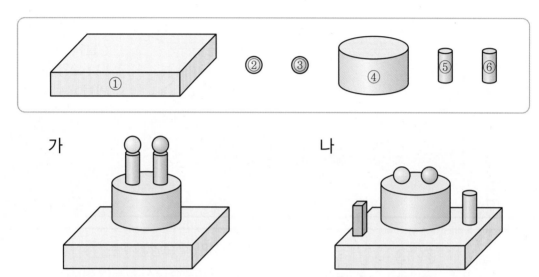

가   나

활동 주어진 블록에 알맞은 번호를 써 보고 만들 수 있는 모양 찾아보기

가   나 → 주어진 블록이 아닙니다.

'나' 모양에는 주어진
블록이 아닌
블록이 있어요.

주어진 블록을
모두 사용하여
만들 수 있는 모양을
찾으면 '가'예요.

주어진 블록을 모두 사용하여 만들 수 있는 모양을 찾아 ◯표 하세요.

1-1

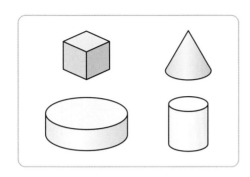 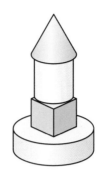 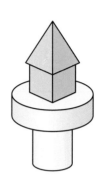

1-2

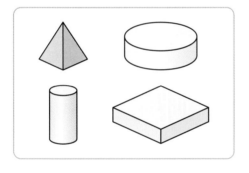 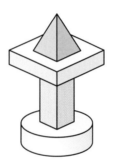 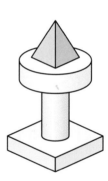

1-3

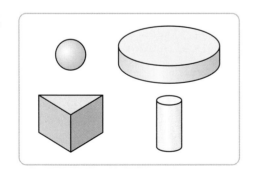 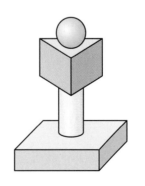 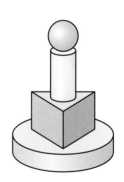

1 왼쪽 블록을 모두 사용하여 만들 수 있는 모양을 오른쪽에서 찾아 이어 보세요.

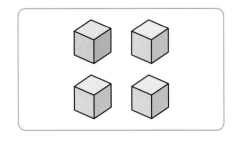 ·

·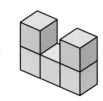

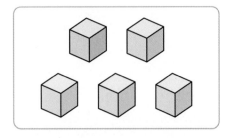 ·

·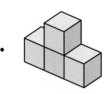

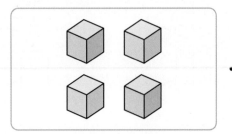 ·

·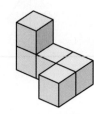

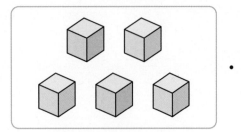 ·

·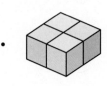

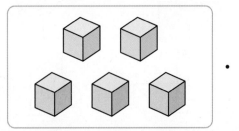 ·

·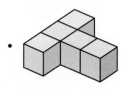

왼쪽 모양을 만드는 데 사용하지 <u>않은</u> 블록을 모두 찾아 ✕표 하세요.

2-1

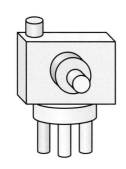

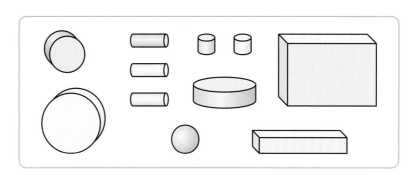

2-2

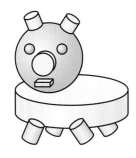

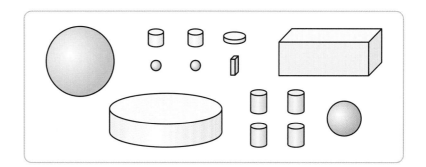

2-3

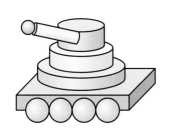

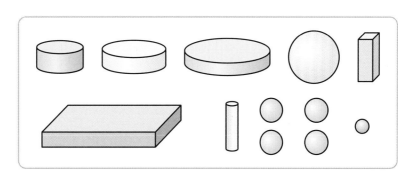

2-4

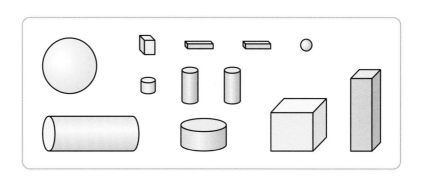

01 쉽게 쌓을 수 <u>없는</u> 모양을 찾아 ✕표 하세요.

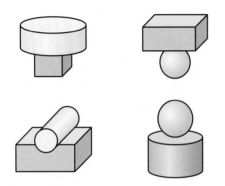

[02~03] 다음과 같은 순서로 쌓은 모양을 **보기**에서 찾아 기호를 쓰세요.

보기

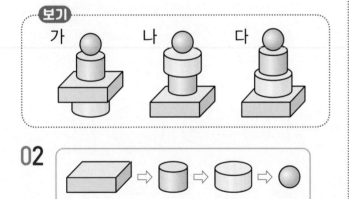

가 　 나 　 다

02

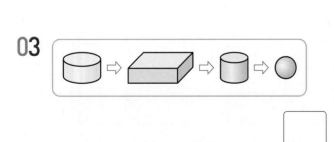

03

04 ⬡, ⬠, ◯ 모양의 수를 세어 빈칸에 알맞게 써넣으세요.

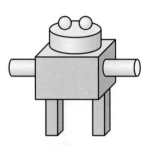

⬡ 모양	개
⬠ 모양	개
◯ 모양	개

05 주어진 블록을 모두 사용하여 만들 수 있는 모양을 찾아 ◯표 하세요.

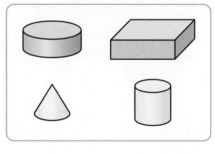

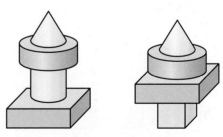

06 쉽게 쌓을 수 있는 모양은 ○표, 쉽게 쌓을 수 <u>없는</u> 모양은 ×표 하세요.

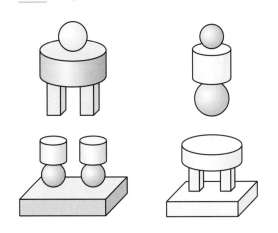

07 오른쪽 모양은 어떤 순서로 쌓은 모양인지 쌓은 순서대로 블록을 찾아 번호를 쓰세요.

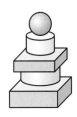

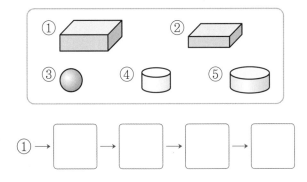

① → ☐ → ☐ → ☐ → ☐

08 왼쪽 모양에는 없지만 오른쪽 모양에는 있는 블록을 모두 찾아 ×표 하세요.

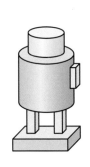 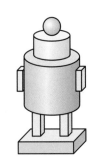

09 ⬜, 🛢, ○ 모양을 사용하여 만든 모양입니다. 가장 많이 사용한 모양에 ○표 하고 몇 개인지 구하세요.

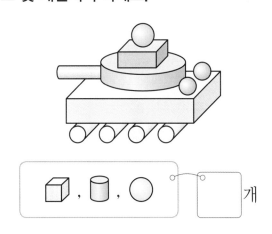

⬜ , 🛢 , ○ ☐ 개

10 다음 모양을 만드는 데 사용하지 <u>않은</u> 블록을 모두 찾아 ×표 하세요.

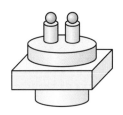

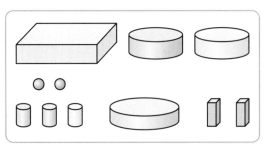

내 그림자를 맞혀라!

블록으로 쌓은 모양을 앞에서 보았을 때
어떤 모양으로 보이는지 잘 생각해 봐~.

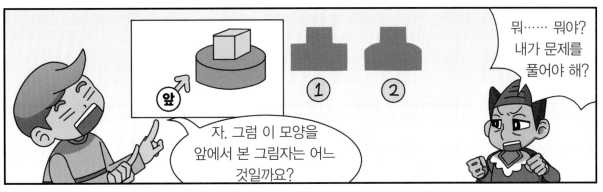

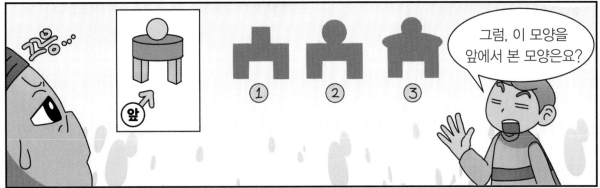

특강 창의·융합·코딩

블록을 쌓은 모양을 위에서 본 모양을 찾으려고 합니다. 보기와 같이 알맞은 모양에 ○표 하세요.

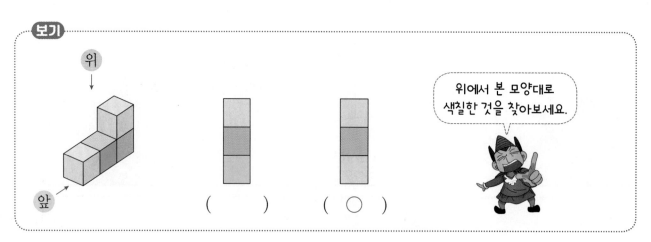

보기

위에서 본 모양대로 색칠한 것을 찾아보세요.

( )   (○)

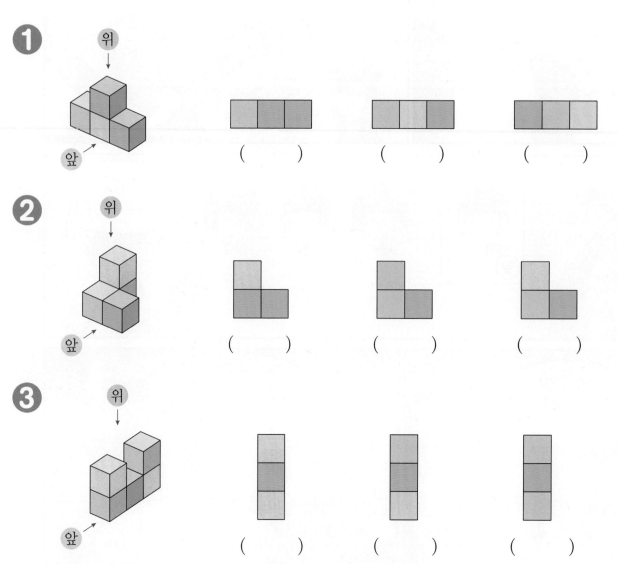

❶ 위   앞

( )   ( )   ( )

❷ 위   앞

( )   ( )   ( )

❸ 위   앞

( )   ( )   ( )

블록을 쌓은 모양을 앞에서 본 모양입니다. 앞에서 본 모양에 알맞게 색칠하세요.

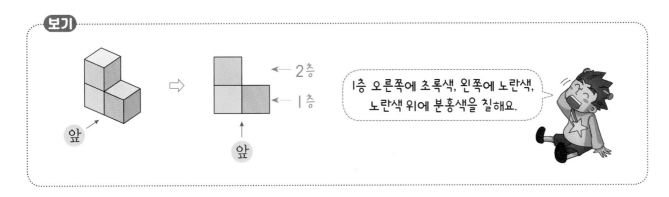

보기

← 2층
← 1층

1층 오른쪽에 초록색, 왼쪽에 노란색, 노란색 위에 분홍색을 칠해요.

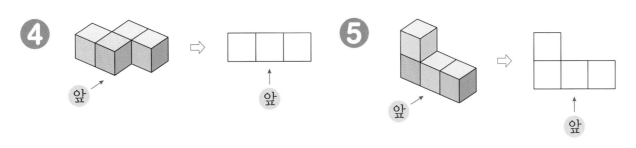

④

⑤

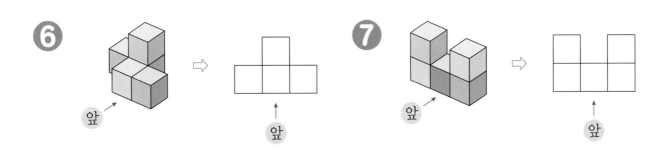

⑥

⑦

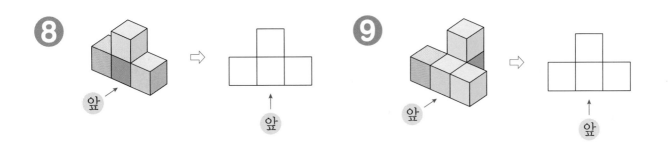

⑧

⑨

왼쪽 모양을 앞에서 본 그림자로 알맞은 것을 찾아 ○표 하세요.

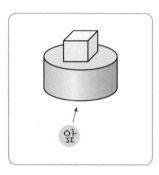
앞

모양을 앞에서 보면

모양으로 보여요.

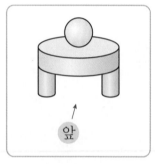
앞

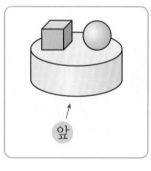
앞

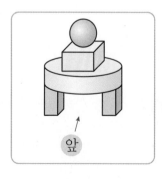
앞

14 블록을 쌓아 만든 모양과 그 모양을 위에서 본 모양을 찾아 알맞게 이어 보세요.

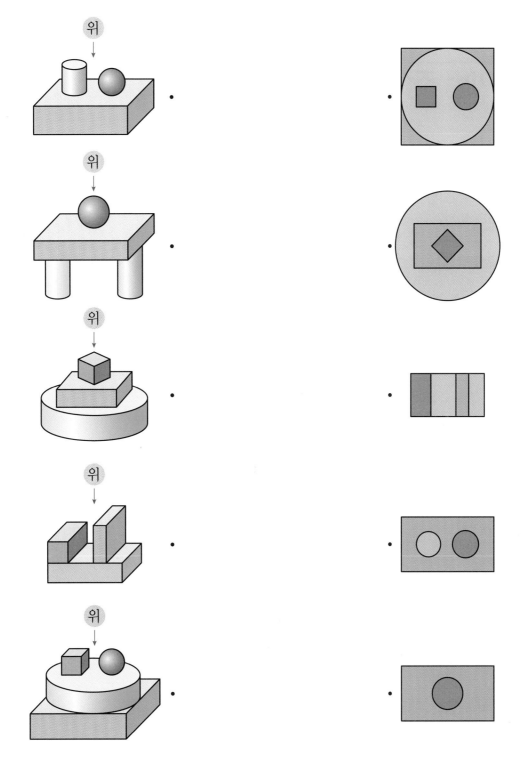

3주 □, △, ◯ 모양

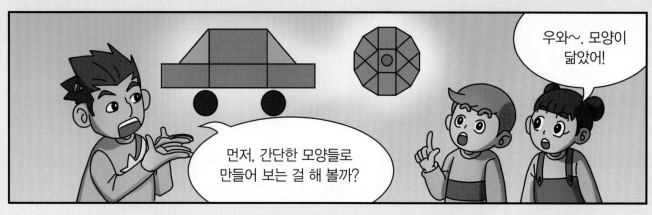

똑똑한 하루 도형

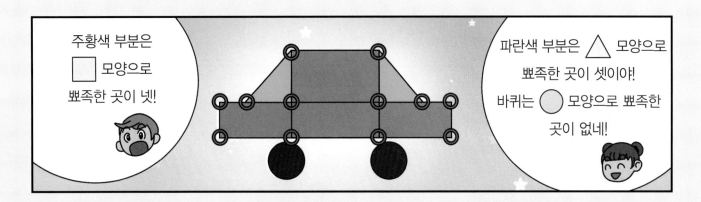

주황색 부분은 □ 모양으로 뾰족한 곳이 넷!

파란색 부분은 △ 모양으로 뾰족한 곳이 셋이야! 바퀴는 ◯ 모양으로 뾰족한 곳이 없네!

□ 모양, △ 모양, ◯ 모양을 이용해서 만들었네~!

세상 모든 건 □, △, ◯ 모양으로 이루어져 있는 건 아닐까?

그건 아니지.

◉ ⬜, △, ◯ 모양

1 ⬜ 모양의 물건에 ⬜표, △ 모양의 물건에 △표, ◯ 모양의 물건에 ◯표 하세요.

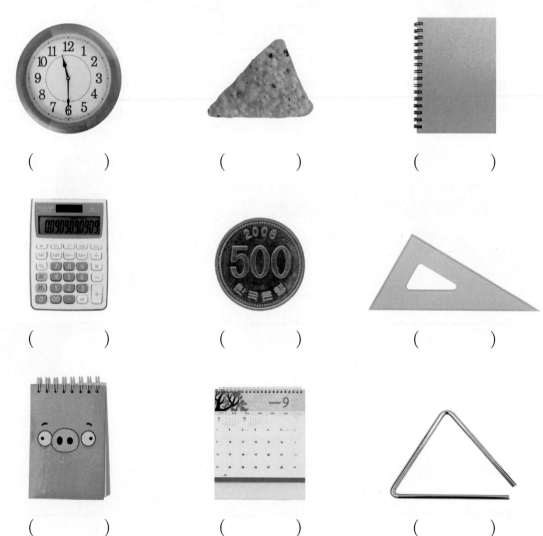

( )　　　　　　( )　　　　　　( )

( )　　　　　　( )　　　　　　( )

( )　　　　　　( )　　　　　　( )

✳ 같은 모양끼리 모으기

🐻 모양이 같은 것끼리 선으로 이어 보세요.

2-1

2-2

 ## 오늘은 무엇을 공부할까요?

□, △, ○ 모양의 일부분을 보고 전체 모양을 찾아보자.

얘들아~. 무슨 일이야?

도형 숙제를 잘라 놔서 원래 모양을 모르겠어.

어머! 그렇구나. 내가 알려줄게.

□ 모양은 뽀족한 곳이 네 군데, 편평한 선도 네 군데야.

△ 모양은 뽀족한 곳이 세 군데, 편평한 선도 세 군데야.

○ 모양은 뽀족한 곳이 없고 둥근 부분이 있어.

짠! 짠! 짠!

정말 고마워! 덕분에 살았어.

하하~. 뭘 다행이야.

아! 물고기 밥 줄 시간이네~.

나도 같이 가~

일부분을 보고 전체 모양 찾아보기

🐻 **활동**을 통하여 **개념**을 알아보아요.

◉ ⬜, △, ⬤ 모양의 일부분을 보고 전체 모양 찾아보기

활동 일부분을 보고 ⬜, △, ⬤ 모양 중 어떤 모양인지 알아보기

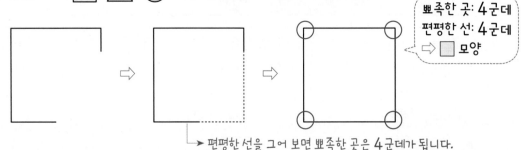

뾰족한 곳: 4군데
편평한 선: 4군데
⇨ ⬜ 모양

└─▶ 편평한 선을 그어 보면 뾰족한 곳은 4군데가 됩니다.

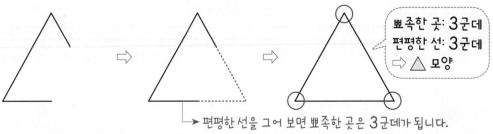

뾰족한 곳: 3군데
편평한 선: 3군데
⇨ △ 모양

└─▶ 편평한 선을 그어 보면 뾰족한 곳은 3군데가 됩니다.

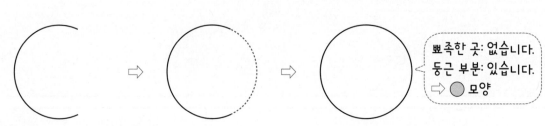

뾰족한 곳: 없습니다.
둥근 부분: 있습니다.
⇨ ⬤ 모양

🐻 **개념** 짚어 보기

· ⬜, △, ⬤ 모양의 특징

	⬜ 모양	△ 모양	⬤ 모양
뾰족한 곳의 수(군데)	4	3	0
편평한 선의 수(군데)	4	3	0

🐸 어떤 모양의 일부분을 보고 전체 모양을 찾아 선으로 이어 보세요.

1-1

1-2

1-3

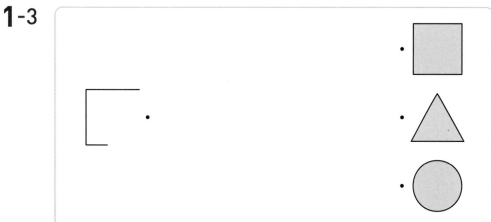

1일 일부분을 보고 전체 모양 찾아보기

도형 집중 연습

오른쪽은 왼쪽 물건과 같은 모양의 일부분입니다. 모양을 완성하세요.

1-1

 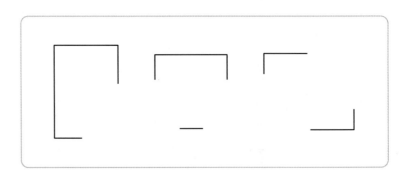

1-2

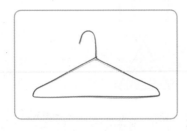 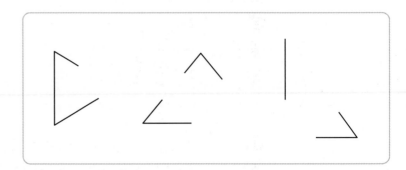

1-3

 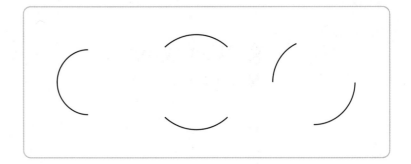

어떤 모양의 일부분을 보고 같은 모양의 물건의 수만큼 칸을 색칠하세요.

2-1

1	2	3	4	5	6	7	8

2-2

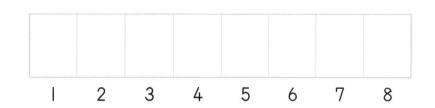

1	2	3	4	5	6	7	8

2-3

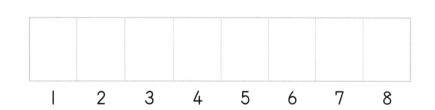

1	2	3	4	5	6	7	8

□, △, ○ 모양 접어 보기

 오늘은 무엇을 공부할까요?

□, △, ○ 모양을 점선을 따라 접은 모양을 알아보자.

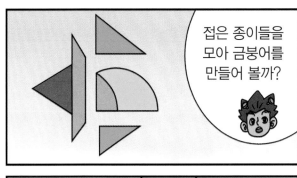

접은 종이들을 모아 금붕어를 만들어 볼까?

눈을 예쁘게 그려 주면 완성!

오~ 롤로 마음에 드나 봐!

롤로의 친구를 만들어줘서 정말 고마워!

롤로한테 친구도 만들어줬겠다. 이제 뭐 할까?

방에 가서 책 볼까?

아참, 롤로 밥 주는 걸 깜빡 잊었네!

🐻 **활동**을 통하여 **개념**을 알아보아요.

● ◯ 모양을 점선을 따라 접어 보고 접은 모양 알아보기

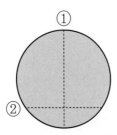

주어진 점선에 따라 접은 모양은 어떻게 달라질까요?

활동 1 ① 번 점선을 따라 접어 보기

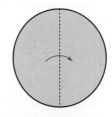 

활동 2 ② 번 점선을 따라 접어 보기

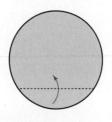 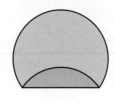

활동 3 ① 번 점선을 따라 접은 후 ② 번 점선을 따라 접어 보기

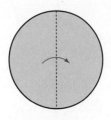 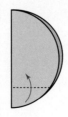 

🐻 **개념 짚어 보기**

· □ 모양을 1번 접어 보기

· △ 모양을 1번 접어 보기

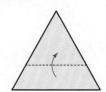 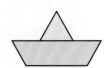

🍮 왼쪽 종이를 점선을 따라 접은 모양을 찾아 선으로 이어 보세요.

3주 – □, △, ○ 모양

1-1

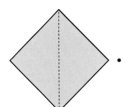 .

.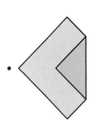

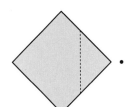 .

.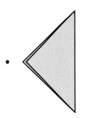

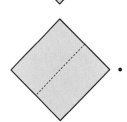 .

.

1-2

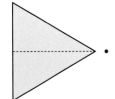 .

.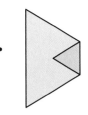

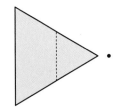 .

.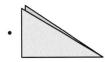

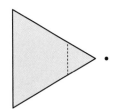 .

.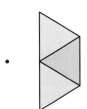

도형 집중 연습

🐱 보기와 같이 접은 모양이 오른쪽과 같도록 왼쪽 도형에 접은 선을 1개 그어 보세요.

보기

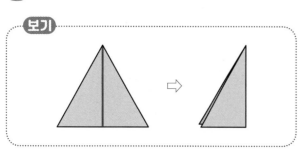

1-1

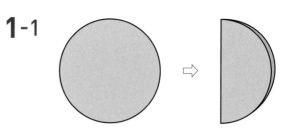

1-2

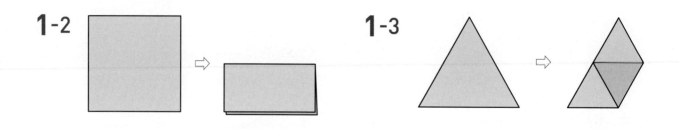

1-3

1-4

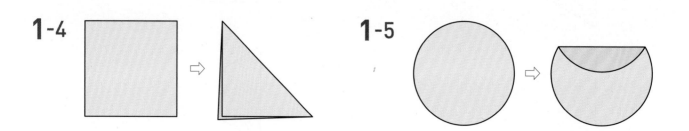

1-5

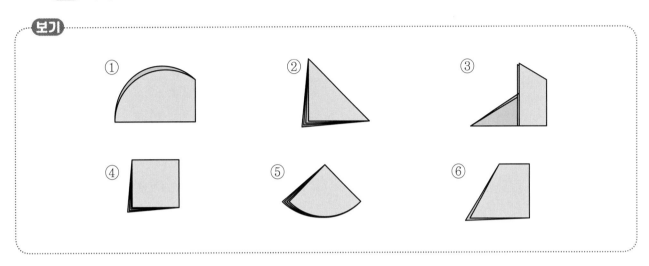

보기 는 주어진 모양을 점선을 따라 접은 모양을 나타낸 것입니다. 점선을 따라 접은 모양을 보기 에서 찾아 번호를 써넣으세요.

보기

① ② ③

④ ⑤ ⑥

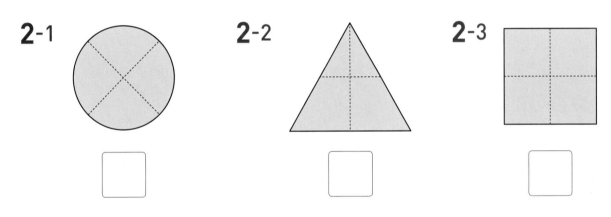

2-1

2-2

2-3

2-4

2-5

2-6

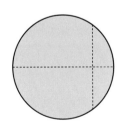

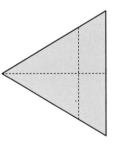

일

사용한 모양 조각의 개수

 오늘은 무엇을 공부할까요?

기차 모양을 만드는 데 사용한 ☐, △, ◯ 모양의 수를 세어 보자.

그럼, 우리 기차를 만든 모양의 개수를 각자 세어 볼까?

난 ◯ 모양을 세어 볼게~

난, ☐ 모양을 세어 볼게.

난, △ 모양!

짝!

☐ 모양은 ✔ 표시를 해서 세어 보니 모두 5개야!

△ 모양은 ╱ 표시를 해서 세어 봤어. 2개밖에 없네?

내 차례인가? ◯ 모양은 ✖ 표시를 해서 세어 보니 6개구나!

기차는 이런 모양이구나. 알려줘서 고마워~.

☐, △, ◯ 모양을 사용하여 여러 가지 모양을 만들 수 있겠어.

나도 만들어 볼래~.

흐음...

3^일 사용한 모양 조각의 개수

 활동을 통하여 **해결 방법**을 알아보아요.

○ 기차 모양을 만드는 데 사용한 ☐, △, ○ 모양의 수 세어 보기

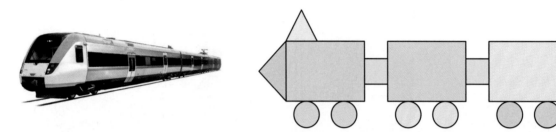

활동 1 ☐ 모양에 ∨표, △ 모양에 /표, ○ 모양에 ×표 하기

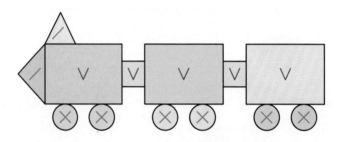

활동 2 ☐, △, ○ 모양의 수 세어 보기

☐ 모양 → ∨표	△ 모양 → /표	○ 모양 → ×표
5개	2개	6개

해결 방법 짚어 보기

• ☐, △, ○ 모양의 수를 셀 때에는 빠뜨리거나 여러 번 세지 않도록 모양별로 ∨, /, ×표 시를 하면서 하나씩 세어 봅니다.

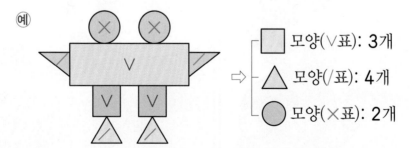

(예)

☐ 모양(∨표): 3개
△ 모양(/표): 4개
○ 모양(×표): 2개

□, △, ○ 모양의 수를 세어 빈칸에 알맞게 써넣으세요.

1-1

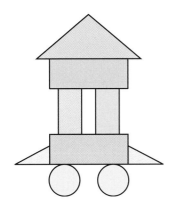

□ 모양	개
△ 모양	개
○ 모양	개

1-2

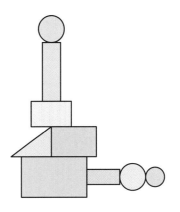

□ 모양	개
△ 모양	개
○ 모양	개

1-3

□ 모양	개
△ 모양	개
○ 모양	개

1-4

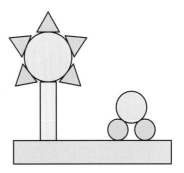

□ 모양	개
△ 모양	개
○ 모양	개

3^일 사용한 모양 조각의 개수

도형 집중 연습

1 △ 모양을 가장 많이 사용한 것부터 차례로 ☐ 안에 1, 2, 3, 4를 써넣으세요.

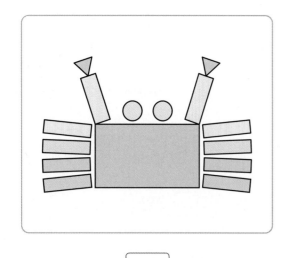

☐

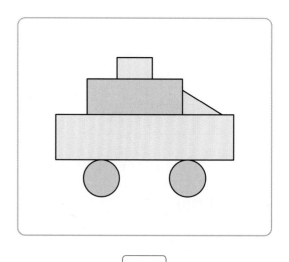

☐

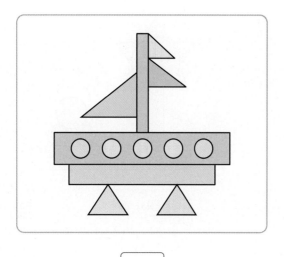

☐

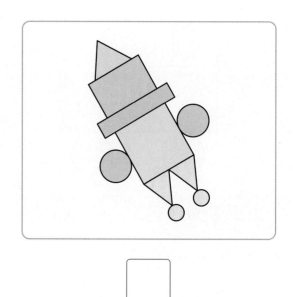

☐

2 같은 개수의 ☐, △, ⬤ 모양으로 만든 모양끼리 선으로 이어 보세요.

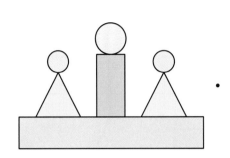

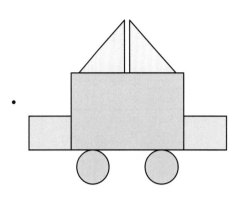

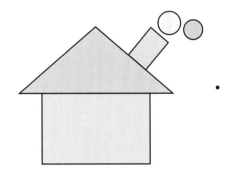

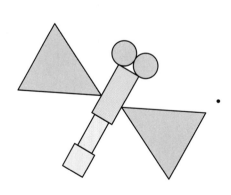

4일 □, △ 모양으로 만든 모양 알아보기

오늘은 무엇을 공부할까요?

주어진 모양을 만들려면 크기와 모양이 같은 □ 모양이 몇 개 필요할까?

자, 첫 번째 문제야～.

크기와 모양이 같게 선을 그어 보면 알 수 있을 것 같아.

이렇게 빨간색으로 선을 그으면 될까?

좋아! 다음 문제야～. 조금 어려워 보이지?

여기에 선을 하나 쭈욱!

난, 여기에 선을 하나!

이쪽으로 옮겨서 여기에도 선을 그어 보자!

주어진 모양을 만들려면 ☐ 모양이 몇 개 필요한지 알아보자.

이번 문제는 ☐ 모양이 몇 개 필요할까? ☐ 모양을 크게 그린 것 같네~.

여기도 선을 하나 길게 쭉~!

여기도 선을 하나 길게 쭈욱~.

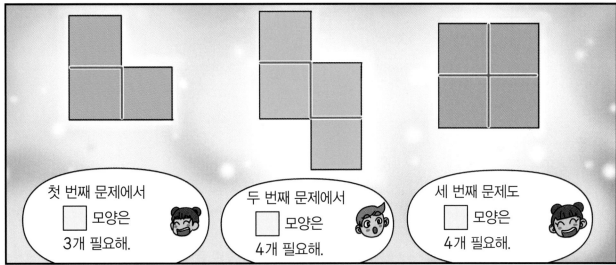

첫 번째 문제에서 ☐ 모양은 3개 필요해.

두 번째 문제에서 ☐ 모양은 4개 필요해.

세 번째 문제도 ☐ 모양은 4개 필요해.

이번엔 좀 어려웠어!

그래도 문제를 다 풀었잖아~.

두리는 뭔가 엄청난 걸 하고 있는데?

대체 몇 개가 필요한 거야?

음...

4^일 ▢, △ 모양으로 만든 모양 알아보기

🐻 **활동**을 통하여 **해결 방법**을 알아보아요.

○ 보기와 같은 ▢ 모양을 몇 개 사용했는지 알아보기

보기

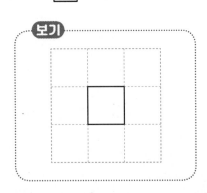

보기와 같은 ▢ 모양을 몇 개 사용했는지 알아볼까요?

활동 보기의 ▢ 모양과 크기와 모양이 같도록 빨간색 선을 그어 ▢ 모양의 개수 알아보기

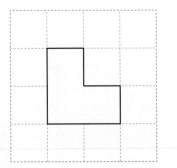 ⇨ 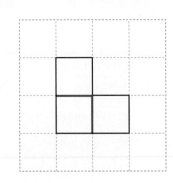 ⇨ ▢ 모양: 3개

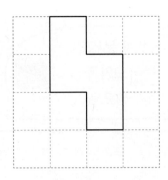 ⇨ 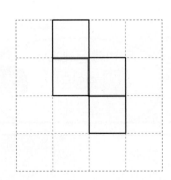 ⇨ ▢ 모양: 4개

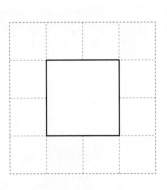 ⇨ 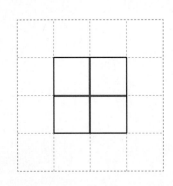 ⇨ ▢ 모양: 4개

🍮 [보기]와 크기와 모양이 같은 △ 모양은 모두 몇 개 필요한지 써넣으세요.

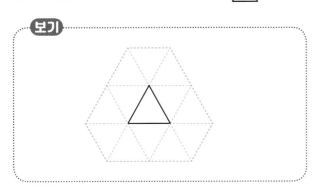

1-1

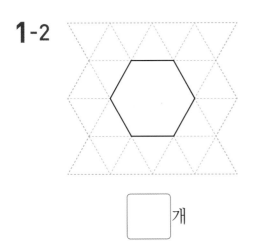

4 개

1-2

4 개

1-3

개

1-4

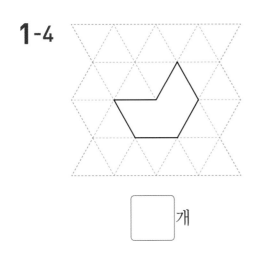

개

1-5

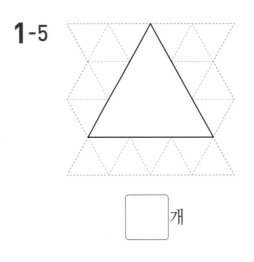

개

4일 ⬜, △ 모양으로 만든 모양 알아보기

도형 집중 연습

🍮 보기와 크기와 모양이 같은 ⬜ 모양은 모두 몇 개 필요한지 써넣으세요.

보기

1-1

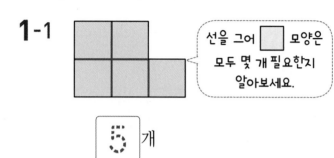

선을 그어 ⬜ 모양은 모두 몇 개 필요한지 알아보세요.

5 개

1-2

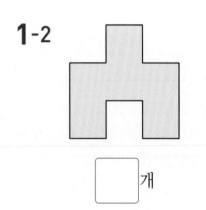

⬜ 개

1-3

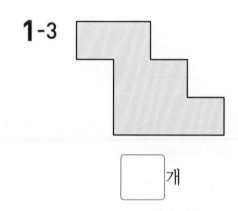

⬜ 개

1-4

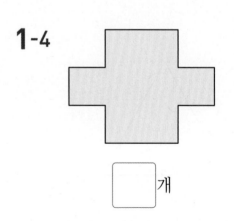

⬜ 개

1-5

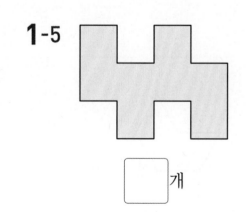

⬜ 개

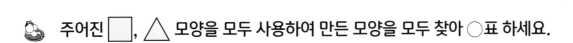 주어진 ☐, △ 모양을 모두 사용하여 만든 모양을 모두 찾아 ◯표 하세요.

2-1
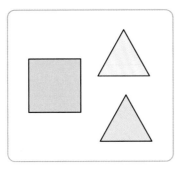
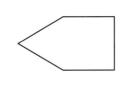

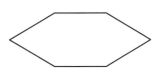

2-2
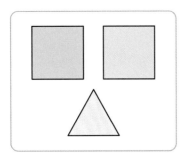
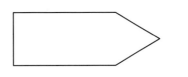

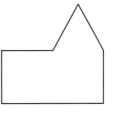
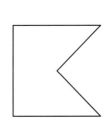

2-3
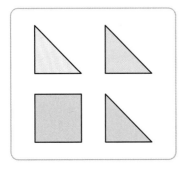
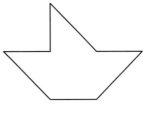
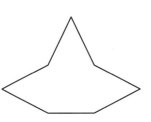

5일 주어진 모양을 모두 사용하여 꾸미기

오늘은 무엇을 공부할까요?

어? 책상 옆에 있는게 뭐지?

아, 그거 내 물건이야.

두리야, 이 종이 펼쳐 봐도 돼?

응~. 우리 별 조상님이 남기신 그림이야.

그림이라고? 뭔가 모양들이 많네? 우주선 같은 것도 있고~.

가 나

두 그림 중 모양 조각을 모두 사용하여 꾸밀 수 있는 모양을 찾아야 해.

모양 조각은 어디에 있어?

훗~. 꾸밀 수 있는 모양은 내가 찾아야겠군.

모양 조각을 모두 사용하여 꾸밀 수 있는 모양을 찾아보자.

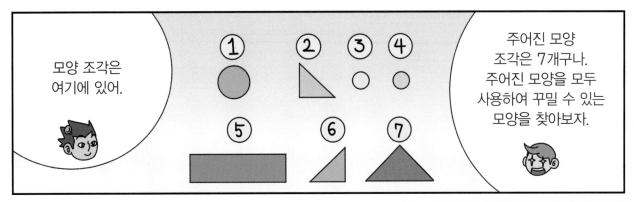

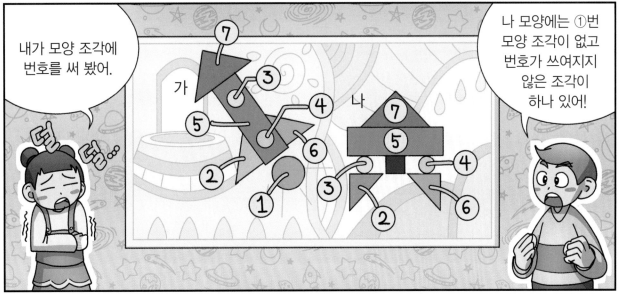

 활동을 통하여 **해결 방법**을 알아보아요.

◎ 모양 조각을 모두 사용하여 꾸밀 수 있는 모양 찾아보기

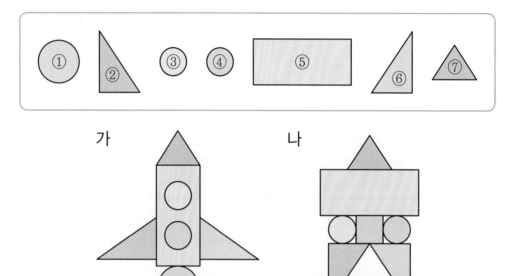

활동 가와 나 중 주어진 모양 조각에 알맞은 번호를 써 보고 꾸밀 수 있는 모양 찾아보기

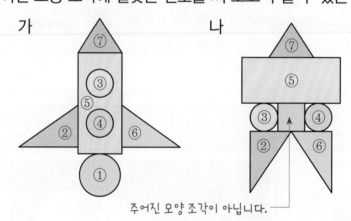

주어진 모양 조각이 아닙니다.

주어진 모양 조각을 모두 사용한 것을 찾으면 가예요.

나에는 ①번 모양 조각이 없고 주어지지 않은 모양 조각이 있어요.

해결 방법 확인

주어진 모양을 모두 사용하여 꾸밀 수 있는 모양을 찾아 ◯표 하세요.

1-1

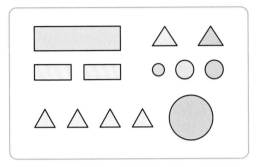

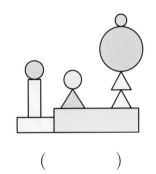

(　　　　)

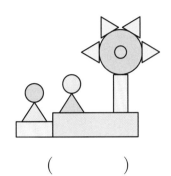

(　　　　)

1-2

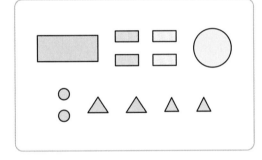

(　　　　)

(　　　　)

1-3

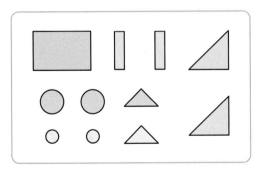

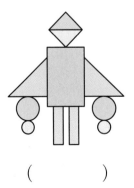

(　　　　)

(　　　　)

5^일 주어진 모양을 모두 사용하여 꾸미기

5일 주어진 모양을 모두 사용하여 꾸미기

도형 집중 연습

왼쪽 모양을 꾸미는 데 사용하지 <u>않은</u> 조각을 모두 찾아 ✕표 하세요.

1-1

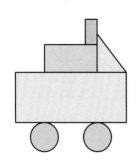 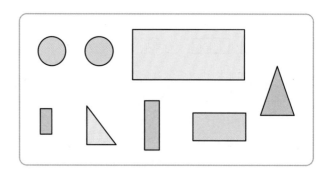

1-2

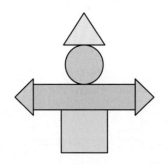 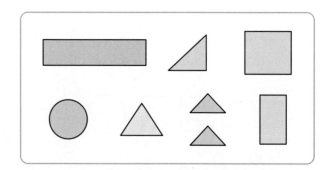

1-3

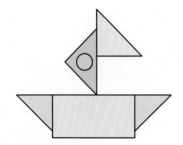 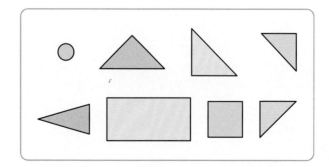

1-4

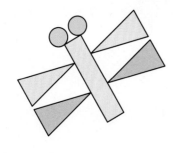 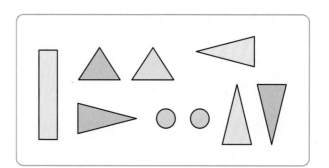

2 주어진 조각을 모두 사용하여 꾸밀 수 있는 모양을 모두 찾아 ◯표 하세요.

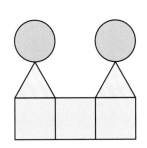

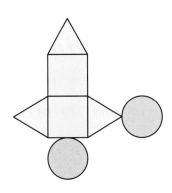

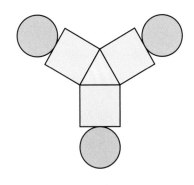

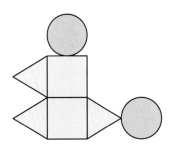

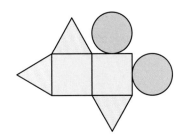

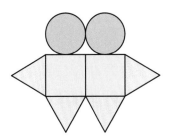

01 어떤 모양의 일부분을 보고 전체 모양을 찾아 선으로 이어 보세요.

02 다음 그림은 보기 와 같은 모양의 일부분입니다. 모양을 완성하세요.

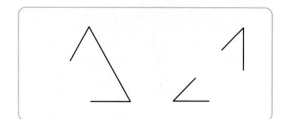

03 접은 모양이 오른쪽과 같도록 왼쪽 도형에 접은 선을 1개 그어 보세요.

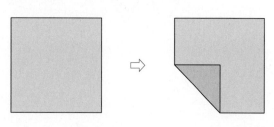

[04~05] ☐, △, ⬤ 모양의 수를 세어 빈 칸에 알맞게 써넣으세요.

04
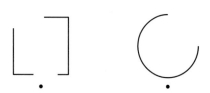

☐ 모양	개
△ 모양	개
⬤ 모양	개

05

☐ 모양	개
△ 모양	개
⬤ 모양	개

06 보기와 크기와 모양이 같은 ☐ 모양은 모두 몇 개 필요한지 써넣으세요.

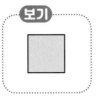

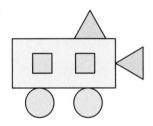 ⇨ ☐ 개

[07~08] 다음 모양을 꾸미는 데 사용하지 <u>않은</u> 조각을 모두 찾아 ✕표 하세요.

07

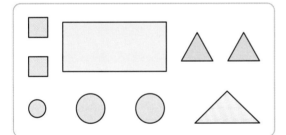

08

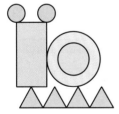

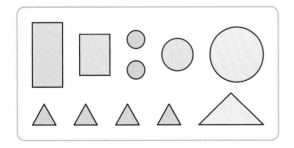

09 주어진 ☐, △ 모양을 모두 사용하여 만든 모양을 찾아 ○표 하세요.

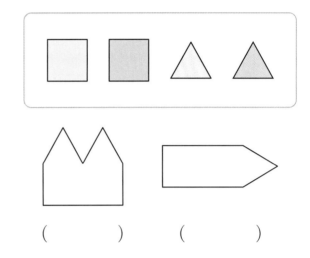

(   )   (   )

10 보기는 주어진 모양을 점선을 따라 접은 모양을 나타낸 것입니다. 점선을 따라 접은 모양을 보기에서 찾아 번호를 써넣으세요.

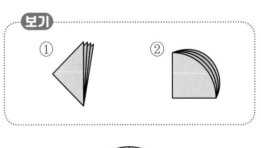

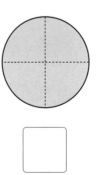

막대 옮겨 모양 만들기

이번에는 막대 옮기기를 할 거야.

막대를 1개 옮겨서 왼쪽 그림과 크기와 모양이 같은 ☐ 모양 2개를 만들어 봐!

어때? 할 수 있겠지? 후훗!

어디에 있는 막대 한 개를 어느 쪽으로 이동해야
□와 △ 모양이 더 만들어지는지 잘 생각해 봐.

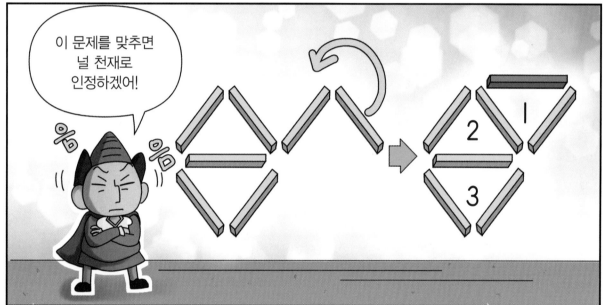

🍮 **보기**와 같이 막대를 1개 옮겨서 크기와 모양이 같은 ☐ 모양을 주어진 개수만큼 만들어 보세요. (단, 모양을 만드는 데 사용하지 않은 막대는 없습니다.)

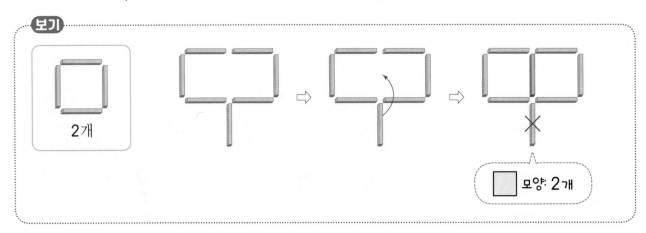

❶

❷

❸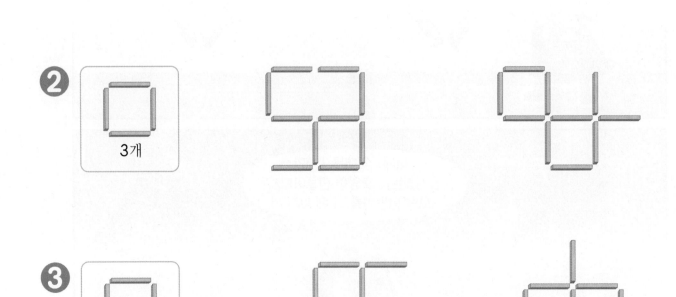

막대를 2개 옮겨서 크기와 모양이 같은 □ 모양을 주어진 개수만큼 만들어 보세요.

(단, 모양을 만드는 데 사용하지 않은 막대는 없습니다.)

④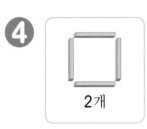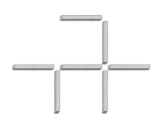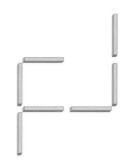

⑤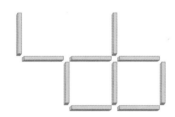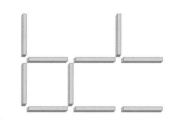

3주

특강

⑥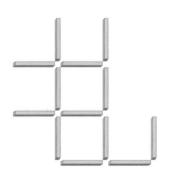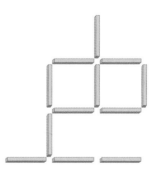

보기와 같이 막대를 1개 옮겨서 크기와 모양이 같은 △ 모양을 주어진 개수만큼 만들어 보세요. (단, 모양을 만드는 데 사용하지 않은 막대는 없습니다.)

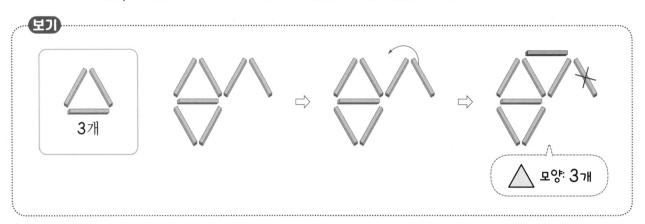

❼

❽
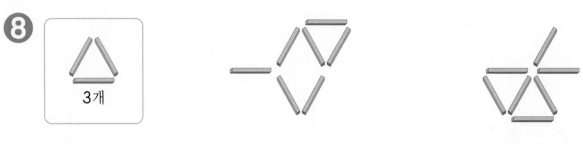

❾
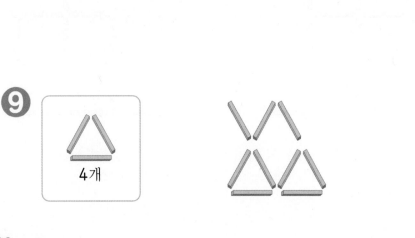

막대를 2개 옮겨서 크기와 모양이 같은 △ 모양을 주어진 개수만큼 만들어 보세요.

(단, 모양을 만드는 데 사용하지 않은 막대는 없습니다.)

⑩

2개

⑪

3개

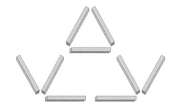

⑫

4개

 겹친 모양과 규칙 찾기

 이번 주에는 무엇을 공부할까요? ❶

똑똑한 하루 도형

색깔이 빨간색과 초록색이 반복되고 있어.

맞았어. 자, 그럼 이 모양에서 뾰족한 곳의 개수를 찾을 수 있겠니?

내가 찾을 수 있을 것 같아!

뾰족한 곳은 모두 4군데야!

머리를 많이 썼더니 피곤하네······.

얘는 시간이 몇 시인데 아직도 자고 있지?

으악~ 방금 잠 들었단 말야!

❉ 겹쳐진 부분 알아보기

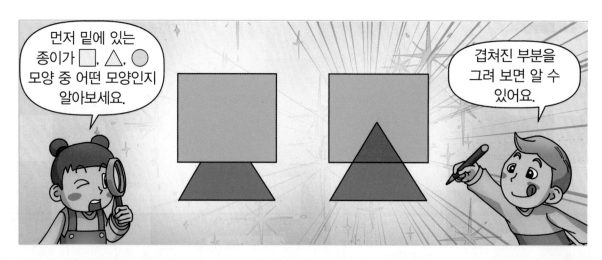

🐻 ☐, △, ⬤ 모양 종이를 겹쳤습니다. 겹쳐진 부분을 그려 보세요.

1-1

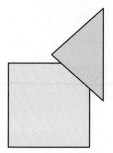

1-2

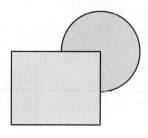

1-3

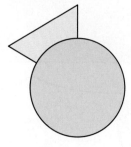

1-4

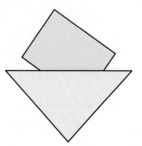

1-5

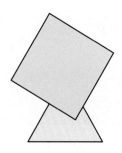

1-6

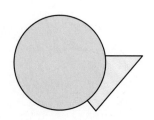

✳ 반복되는 부분 찾아보기

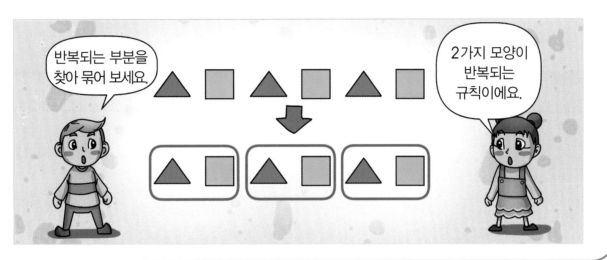

🐻 반복되는 부분을 모두 묶어 보세요.

2-1

2-2

2-3

2-4

겹친 모양 알아보기

 오늘은 무엇을 공부할까요?

겹쳐진 모양을 보고 □, △, ○ 모양 중 어떤 모양을 겹친 것인지 알아보자!

1일 겹친 모양 알아보기

🐻 **활동**을 통하여 **해결 방법**을 알아보아요.

● 겹쳐진 모양을 보고 ⬜, △, ⭕ 모양 중 어떤 모양을 겹친 것인지 알아보기

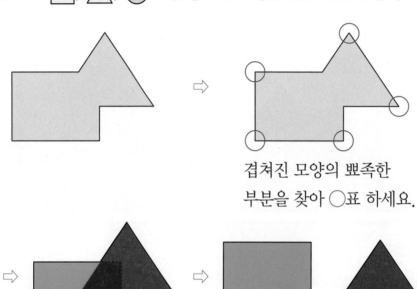

겹쳐진 모양의 뾰족한 부분을 찾아 〇표 하세요.

겹친 도형을 예상하여 선을 그어 보세요.

겹친 모양은 ⬜ 모양과 △ 모양입니다.

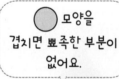

⭕ 모양을 겹치면 뾰족한 부분이 없어요.

🐻 **해결 방법** 짚어 보기

● ⬜, △, ⭕ 모양의 특징

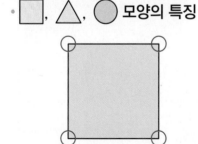

뾰족한 곳: 4군데

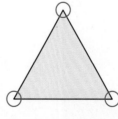

뾰족한 곳: 3군데

뾰족한 곳: 없음

🐸 ☐, △, ⬤ 모양 중 서로 다른 2개가 겹쳐진 모양입니다. **보기**와 같이 겹친 모양을 모두 찾아 ◯표 하세요.

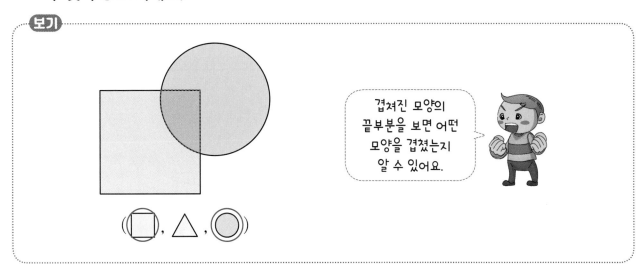

보기

겹쳐진 모양의 끝부분을 보면 어떤 모양을 겹쳤는지 알 수 있어요.

(◯☐, △, ◯⬤)

1-1

(☐ , △ , ◯⬤)

1-2

(☐ , △◯ , ⬤)

4주
1일

1-3

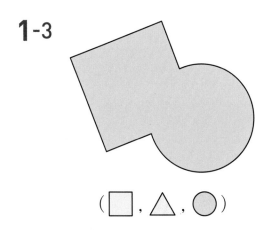

(◯☐ , △ , ◯⬤)

1-4

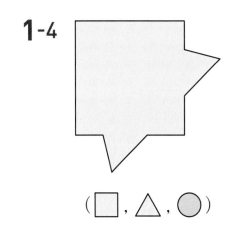

(☐ , △ , ⬤)

1일 겹친 모양 알아보기

🐱 □, △, ◯ 모양 중 서로 다른 2개가 겹쳐진 모양을 보고 겹치지 <u>않은</u> 모양을 찾아 ╳표
하세요.

1-1

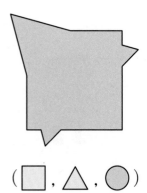

(□ , △ , ◯)

1-2

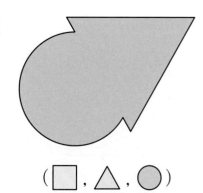

(□ , △ , ◯)

1-3

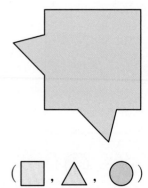

(□ , △ , ◯)

1-4

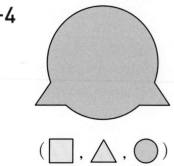

(□ , △ , ◯)

🐱 □, △, ◯ 모양 중 같은 모양 2개가 겹쳐진 모양을 보고 겹친 모양을 찾아 ◯표 하
세요.

2-1

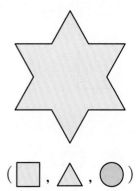

(□ , △ , ◯)

2-2

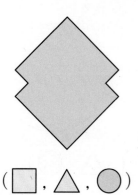

(□ , △ , ◯)

🐢 ☐ , △ , ◯ 모양을 1개씩 겹쳐 놓았습니다. 보기와 같이 가장 위에 있는 모양부터 차례

로 ✏ , ✏ , ✏ 로 색칠하세요.

빨강 ← ↑ ↑ ← 노랑
초록

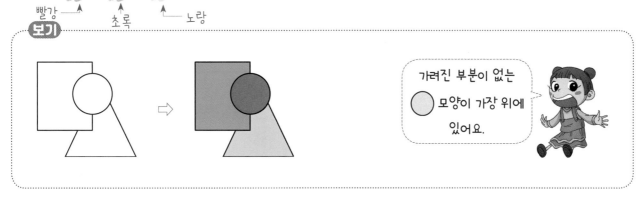

보기

가려진 부분이 없는
◯ 모양이 가장 위에
있어요.

3-1

3-2

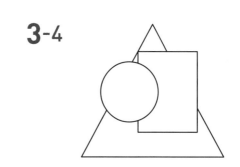

3-3

3-4

3-5

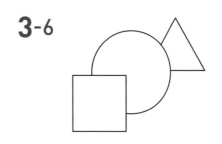

3-6

4주

1일

구멍 난 종이 겹치기

 오늘은 무엇을 공부할까요?

 **구멍 난 종이 겹치기**

 활동을 통하여 해결 방법을 알아보아요.

◎ 모양이 그려진 종이 위에 구멍 난 종이를 겹쳤을 때 나타나는 모양 알아보기

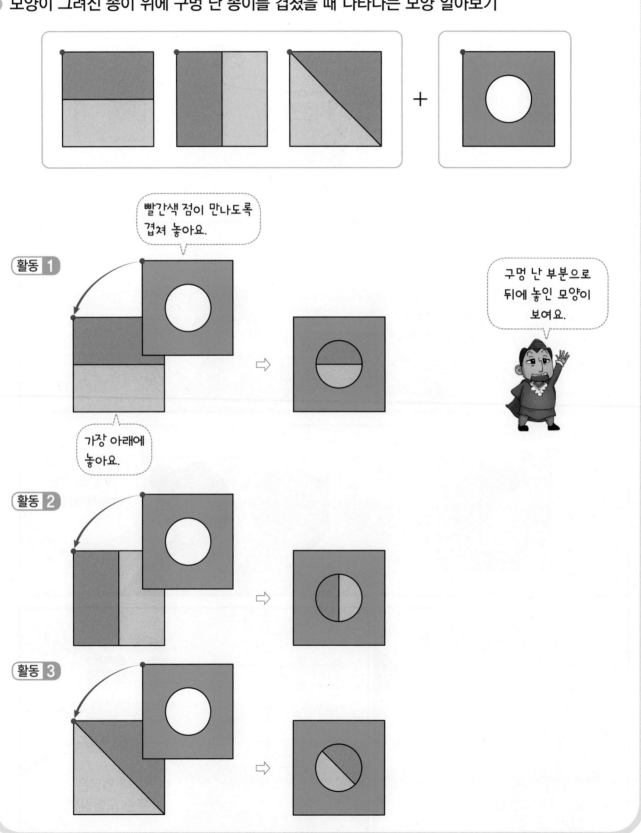

빨간색 점이 만나도록 겹쳐 놓아요.

활동 1

가장 아래에 놓아요.

구멍 난 부분으로 뒤에 놓인 모양이 보여요.

활동 2

활동 3

(해결 **방법** 확인)

모양이 그려진 종이 위에 빨간색 점이 만나도록 구멍 난 종이를 겹쳤을 때 나타나는 모양으로 맞으면 ○표, 틀리면 ✕표 하세요.

1-1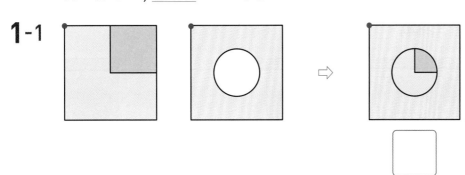

1-2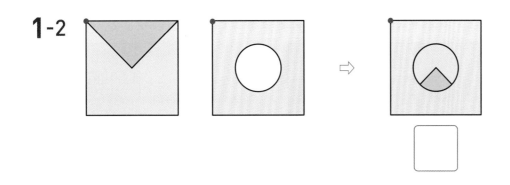

1-3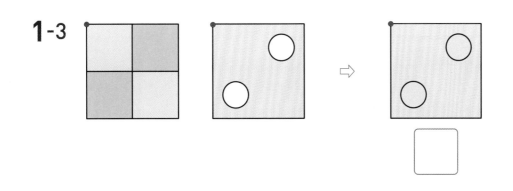

1-4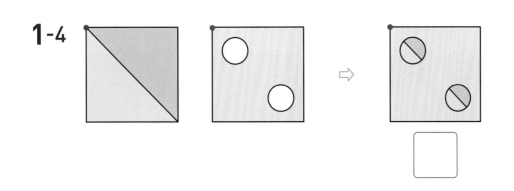

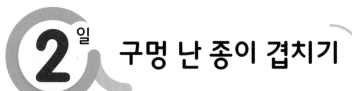

2^일 구멍 난 종이 겹치기

1 종이 위에 빨간색 점이 만나도록 구멍 난 종이 2장을 차례로 옮겨서 겹쳤을 때 나타나는 모양을 찾아 선으로 이어 보세요.

 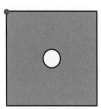 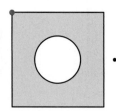 ·   ·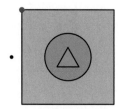

 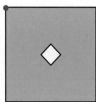  ·   ·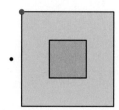

 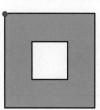 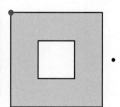 ·   ·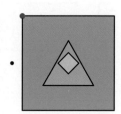

 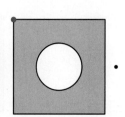 ·   ·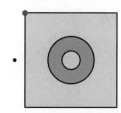

글자가 쓰여 있는 종이 위에 빨간색 점이 만나도록 구멍 난 종이를 차례로 덮을 때 보이는 단어를 써 보세요.

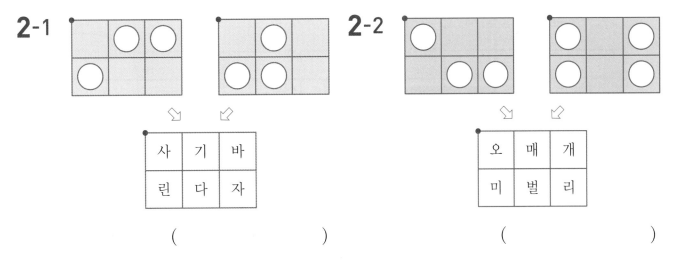

2-1

사	기	바
린	다	자

(   )

2-2

오	매	개
미	벌	리

(   )

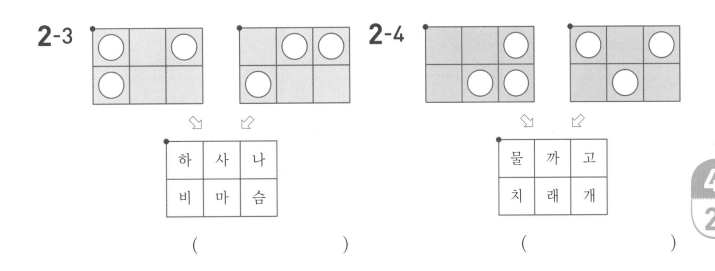

2-3

하	사	나
비	마	습

(   )

2-4

물	까	고
치	래	개

(   )

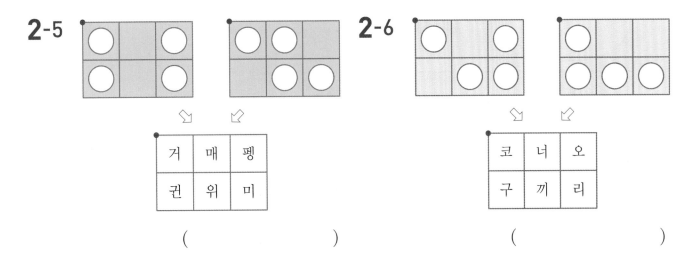

2-5

거	매	펭
권	위	미

(   )

2-6

코	너	오
구	끼	리

(   )

3^일 규칙 찾기

 오늘은 무엇을 공부할까요?

규칙을 찾아 빈 곳에 알맞은 모양 또는 색깔을 알아보자!

🐻 **활동을 통하여 해결 방법을 알아보아요.**

○ 규칙을 찾아 ☐ 안에 알맞은 과일을 알아보기

활동 **1** 반복되는 부분을 찾아 ☐로 묶기

⇨ 🍎 — 🍌 가 반복됩니다.

활동 **2** ☐ 안에 알맞은 과일 알아보기

⇨ 규칙에 따라 ☐ 안에 알맞은 과일은 차례로 🍎, 🍌 입니다.

🔍 **해결 방법 짚어 보기**

• 규칙을 찾아 ☐ 안에 알맞은 모양 알아보기

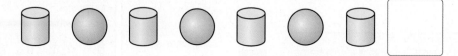

규칙 ⬭, ⬤ 이 반복되므로 ☐ 안에 알맞은 모양은 ⬤ 입니다.

규칙 ■, ■, ■ 이 반복되므로 ☐ 안에 알맞은 모양은 ■ 입니다.

해결 방법 확인

🍮 규칙을 찾아 ☐ 안에 알맞은 모양에 ◯표 하세요.

1-1

1-2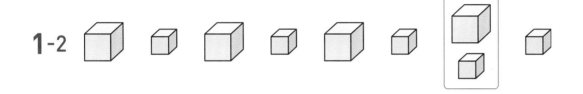

1-3

4주

3일

1-4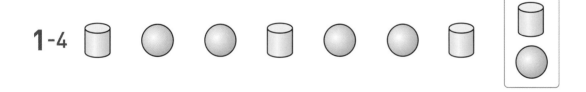

1-5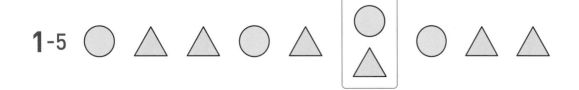

3^일 규칙 찾기

보기의 규칙에 따라 ☐ 안에 ☐, △, ◯의 모양을 알맞게 그려 넣으세요.

1-1

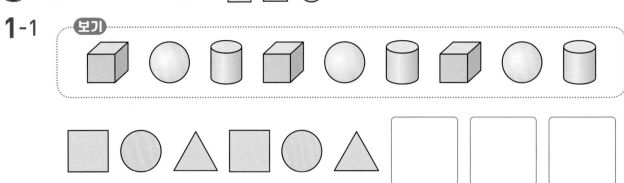

1-2

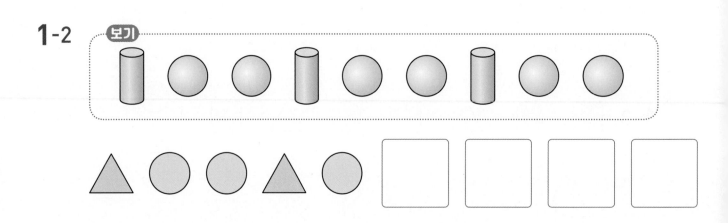

1-3

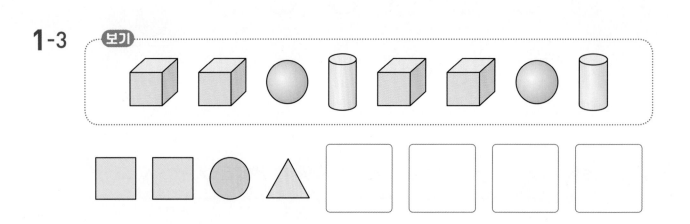

보기 와 같이 색깔과 모양이 반복되는 부분을 각각 찾아보세요.

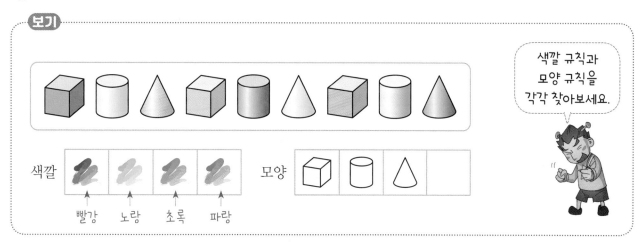

2-1

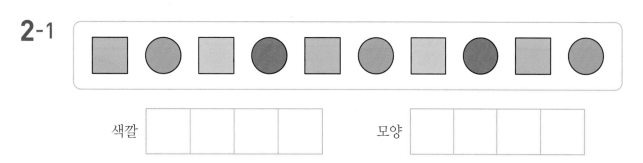

색깔 | | | |
모양 | | | |

2-2

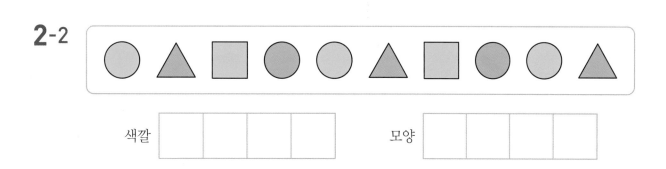

색깔 | | | |
모양 | | | |

2-3

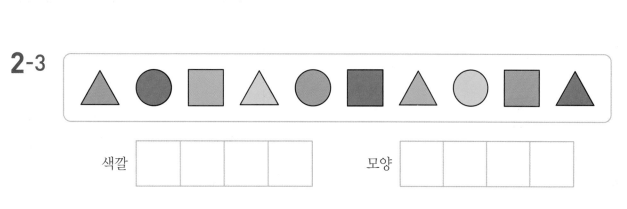

색깔 | | | |
모양 | | | |

회전 규칙 찾기

🐻 오늘은 무엇을 공부할까요?

규칙적으로 회전하는 도형에서 빈 곳에 알맞은 모양 또는 색깔을 알아보자!

회전 규칙 찾기

활동을 통하여 **해결 방법**을 알아보아요.

● 회전 규칙을 찾아 마지막 모양 알아보기

     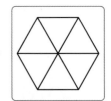

활동 1 모든 칸에 숫자를 차례로 써넣기

활동 2 색칠된 칸의 숫자의 규칙 찾기

| 1 | 3 | 5 | 1 | 3 | 5 |

 └ 색칠된 칸의 숫자

색칠한 칸의 숫자가 1−3−5로 두 칸씩 이동하는 규칙이 있어요.

활동 3 규칙에 맞게 마지막 모양에 색칠하기

마지막 모양

해결 방법 확인

규칙을 찾아 ☐ 안의 도형을 완성하세요.

1-1

     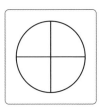

1-2

     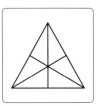

1-3

    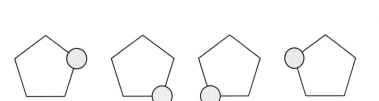 

1-4

   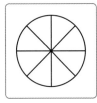

1-5

  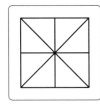

도형 집중 연습

보기와 같이 규칙에 따라 잘못 놓은 것에 ×표 하세요.

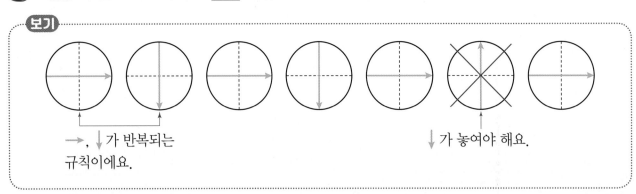

1-1

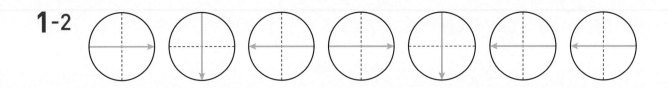

1-2

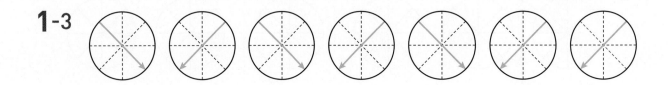

1-3

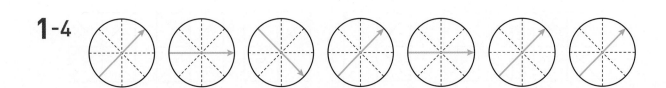

1-4

🐢 규칙에 따라 마지막 시계의 짧은바늘을 그려 넣으세요.

2-1

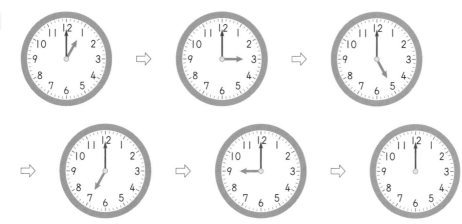

2-2

2-3

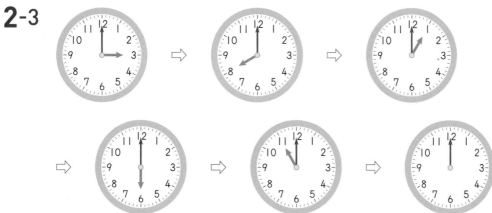

# 5일 패턴 규칙 찾기

🐻 오늘은 무엇을 공부할까요?

패턴에서 규칙을 찾아 빈 곳에 알맞은 모양 또는 색깔을 알아보자!

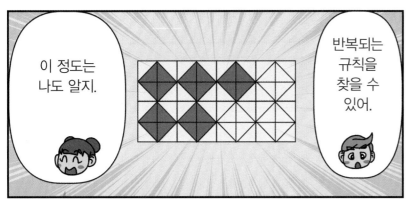

이 정도는 나도 알지.

반복되는 규칙을 찾을 수 있어.

자, 이제 빈 곳을 색칠해 볼까나?

4주
5일

짜잔~ 완성!

멋지다옹~

나 정말 미술에 소질이 있나 봐!

우리에게 이런 예술성이 있었다니……

패턴 규칙 찾기

 활동을 통하여 **해결 방법**을 알아보아요.

○ 타일에서 규칙을 찾고 빈 곳에 알맞게 색칠하기

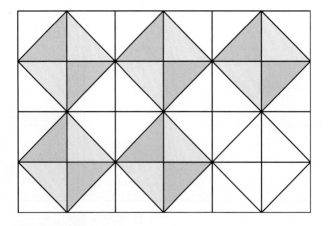

활동 **1** 타일에서 규칙을 찾아 □표 하기

4개의 타일이
계속
반복돼요.

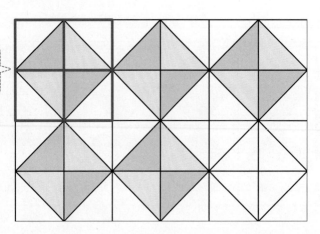

활동 **2** 빈 곳에 알맞게 색칠하기

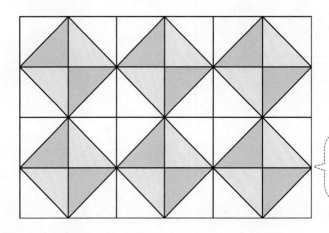

반복되는 규칙에
맞게 빈 곳을
색칠해요.

해결 방법 확인

🐢 규칙에 따라 색칠하세요.

1-1

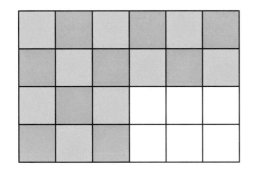

1-2

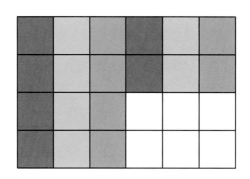

1-3

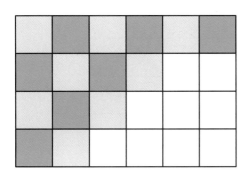

1-4

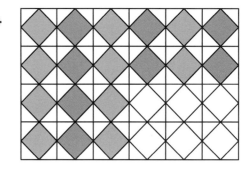

1-5

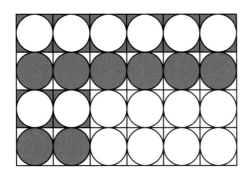

1-6

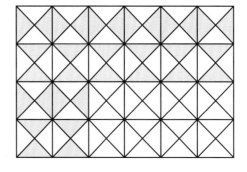

4주

5일

(도형 집중 연습)

🍮 규칙에 따라 반복되는 무늬가 <u>아닌</u> 부분을 모두 찾아 ✕표 하세요.

1-1

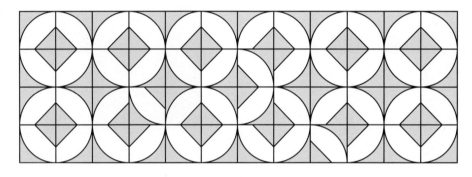

1-2

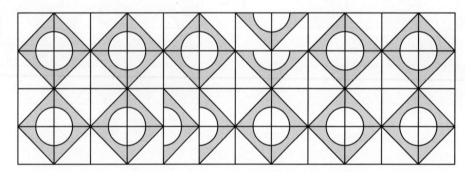

1-3

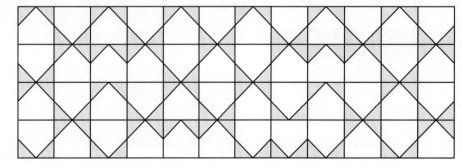

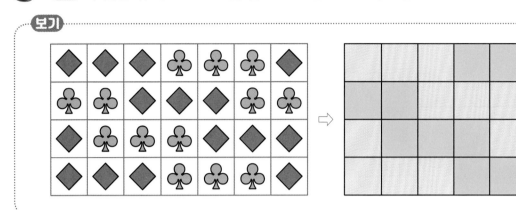

보기 와 같은 규칙으로 빈칸을 알맞게 색칠하여 포장지를 꾸며 보세요.

2-1

2-2

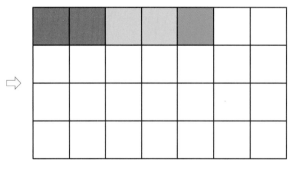

01 규칙을 찾아 ☐ 안에 알맞은 모양에 ○표 하세요.

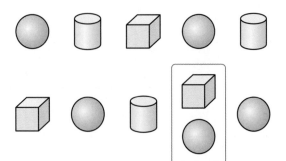

02 ☐, △, ● 모양 중 2개가 겹쳐진 모양 입니다. 겹친 모양을 모두 찾아 ○표 하세요.

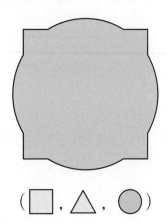

(☐ , △ , ●)

03 규칙에 따라 잘못 놓은 것에 ×표 하세요.

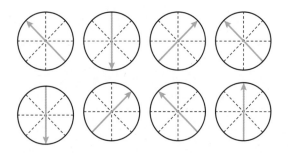

04 ☐, △, ● 모양 중 서로 다른 2개가 겹쳐진 모양을 보고 겹치지 않은 모양을 찾 아 ×표 하세요.

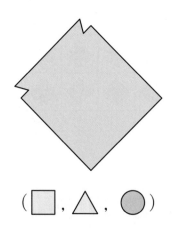

(☐ , △ , ●)

05 모양이 그려진 종이 위에 빨간색 점이 만나 도록 구멍 난 종이를 겹쳤을 때 나타나는 모양으로 맞으면 ○표, 틀리면 ×표 하세요.

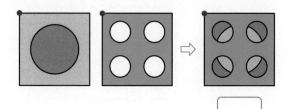

☐

06 규칙을 찾아 ☐ 안의 도형을 완성하세요.

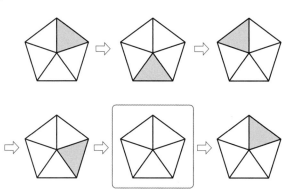

07 글자가 쓰여 있는 종이 위에 빨간색 점이 만나도록 구멍 난 종이를 차례로 덮을 때 보이는 단어를 써 보세요.

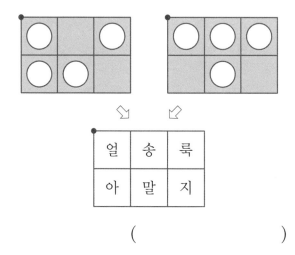

(   )

08 규칙에 따라 색칠하세요.

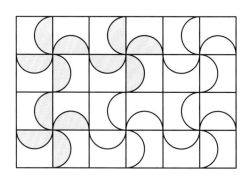

09 색깔과 모양이 반복되는 부분을 각각 찾아 보세요.

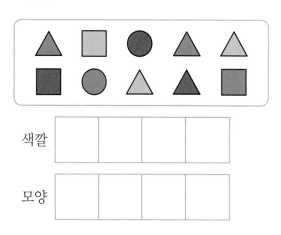

색깔			

모양			

10 규칙에 따라 반복되는 무늬가 <u>아닌</u> 부분을 모두 찾아 ✕표 하세요.

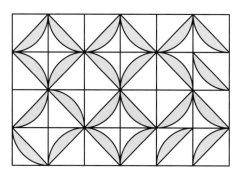

반전 알아보기

제시된 규칙에 따라 주어진 구슬을 남김없이 연결해 보자.

 보기와 같이 바로 앞의 모양과 색을 반전한 모양이 반복되도록 색칠하세요.

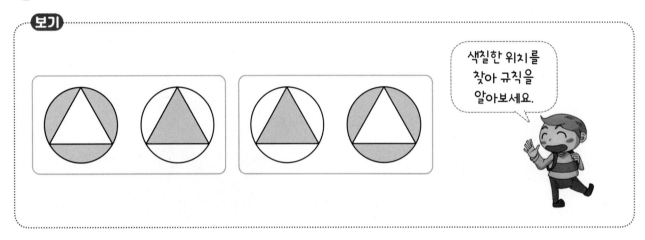

①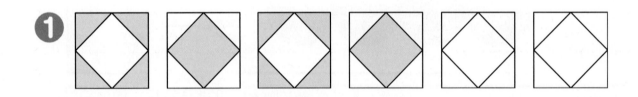

②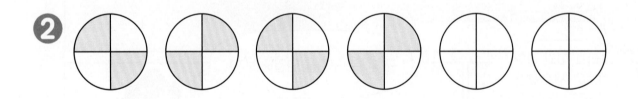

③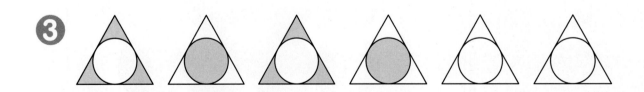

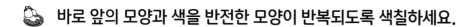 바로 앞의 모양과 색을 반전한 모양이 반복되도록 색칠하세요.

🔔 보기와 같이 제시된 규칙에 따라 주어진 구슬을 남김없이 연결하세요.
(단, 가로와 세로로만 연결하고 한 번 연결했던 구슬은 다시 연결할 수 없습니다.)

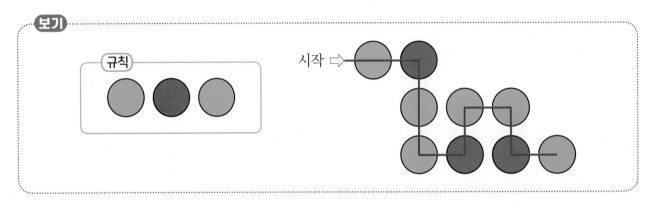

❽
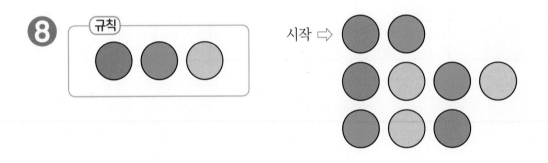

❾
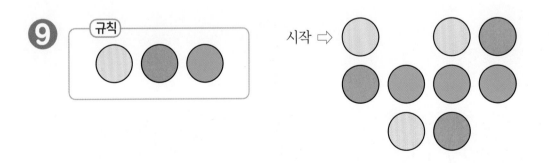

10 규칙

시작 ⇨

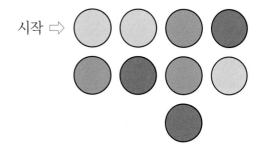

11 규칙

시작 ⇨

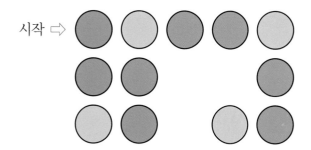

12 규칙

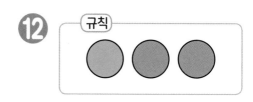

시작 ⇨

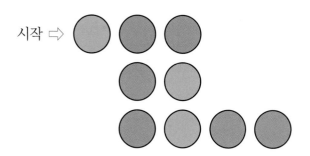

MEMO

하루하루 쌓이는 수학 자신감!

똑똑한 하루
수학 시리즈

초등 수학 첫 걸음

수학 공부, 절대 지루하면 안 되니까~
하루 10분 학습 커리큘럼으로
쉽고 재미있게 수학과 친해지기!

학습 영양 밸런스

〈수학〉은 물론 〈계산〉, 〈도형〉, 〈사고력〉편까지
초등 수학 전 영역을 커버하는 맞춤형 교재로
편식은 NO! 완벽한 수학 영양 밸런스!

창의·사고력 확장

초등학생에게 꼭 필요한 수학 지식과
창의·융합·사고력 확장을 위한
재미있는 문제 구성으로 힘찬 워밍업!

우리 아이 공부습관 프로젝트! 초1~초6

하루 수학 (총 6단계, 12권)

하루 계산 (총 6단계, 12권)

하루 도형 (총 6단계, 6권)

COMING SOON ― 하루 사고력 (총 6단계, 12권)

정답과 풀이
포인트 ③가지

▶ 한눈에 알아볼 수 있는 정답 제시

▶ 혼자서도 이해할 수 있는 문제 풀이

▶ 꼭 필요한 풀이 제시

6~7쪽

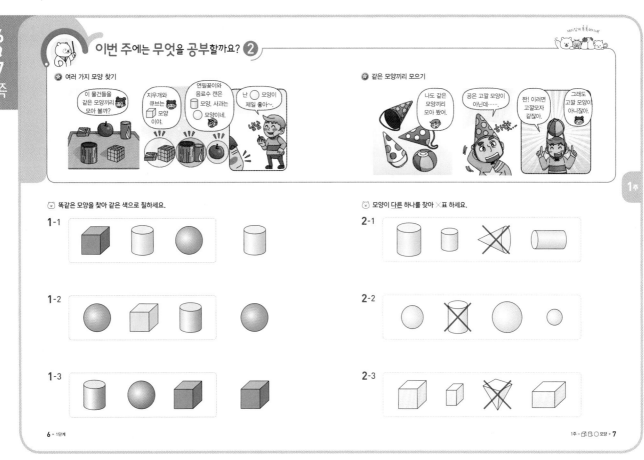

6 ▪ 1단계

1주 - ⬜🟦⚪ 모양 ▪ 7

10~11쪽

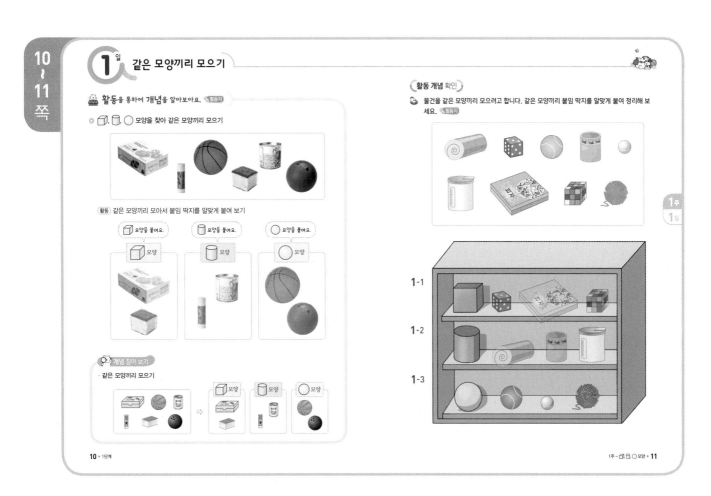

10 ▪ 1단계

1주 - ⬜🟦⚪ 모양 ▪ 11

1일 같은 모양끼리 모으기

도형 집중 연습

물건을 같은 모양끼리 모으려고 합니다. 다른 모양을 찾아 ○표 하세요.

1-1

1-2

1-3

1-4

2 그림에서 찾을 수 있는 모양을 찾아 번호를 써넣고, 수를 세어 보세요.

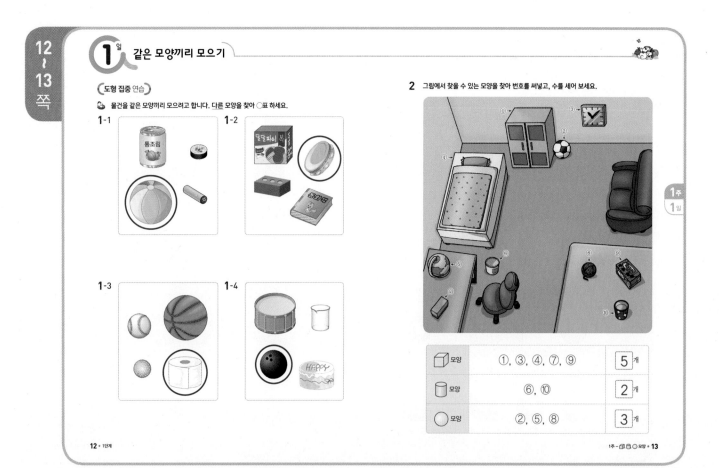

모양	①, ③, ④, ⑦, ⑨	5 개
모양	⑥, ⑩	2 개
◯ 모양	②, ⑤, ⑧	3 개

2일 모양을 자르고 붙이기

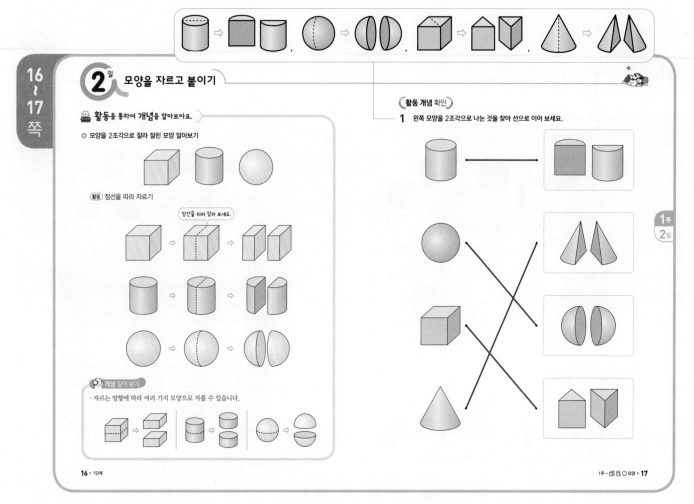

활동을 통하여 개념을 알아보아요.

◉ 모양을 2조각으로 잘라 잘린 모양 알아보기

활동 점선을 따라 자르기

점선을 따라 잘라 보세요.

개념 집어 보기

· 자르는 방향에 따라 여러 가지 모양으로 자를 수 있습니다.

활동 개념 확인

1 왼쪽 모양을 2조각으로 나눈 것을 찾아 선으로 이어 보세요.

 정답과 풀이

2 ^일 모양을 자르고 붙이기

(도형 집중 연습)

왼쪽 모양에 알맞은 모양을 이어 붙여서 ⬜, ⬜, ◯ 모양을 만들려고 합니다. 알맞은 모양을 찾아 ◯표 하세요.

1-1 ⇨

1-2 ⇨

1-3 ⇨

1-4 ⇨

보기 의 모양 2개를 붙여서 주어진 모양을 만들려고 합니다. 붙여서 만들 수 있는 두 모양을 찾아 ☐ 안에 번호를 써넣으세요.

보기
① ② ③ ④ ⑤
⑥ ⑦ ⑧ ⑨ ⑩

2-1 　⑤ ⑨

2-2 　① ④

2-3 　③ ⑩

2-4 　② ⑥

18 ● 1단계

1주 - ⬜⬜◯ 모양 ● 19

1주
2일

풀이

1-1

1-2

1-3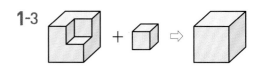

1-4

2-1 ⑤ ⑨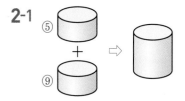

2-2 ① ④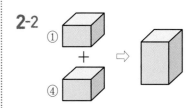

2-3 ③ ⑩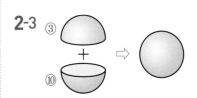

2-4 ② ⑥

3일 모양을 쌓아 보고 굴려 보기

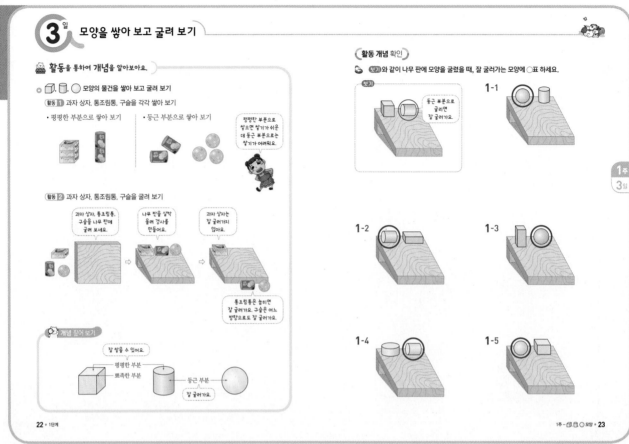

3일 모양을 쌓아 보고 굴려 보기

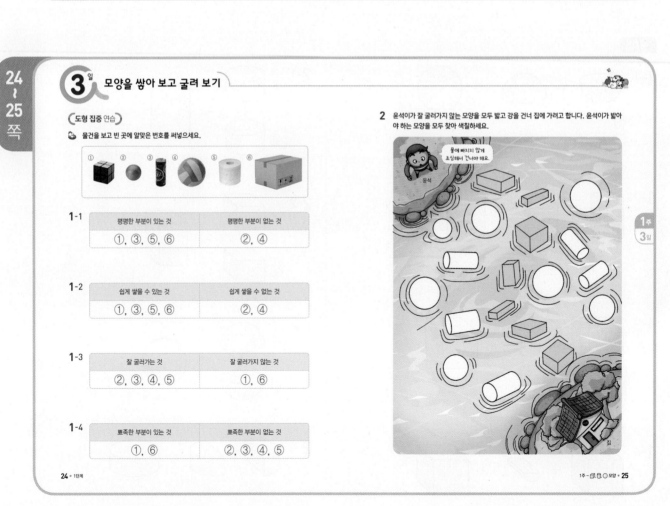

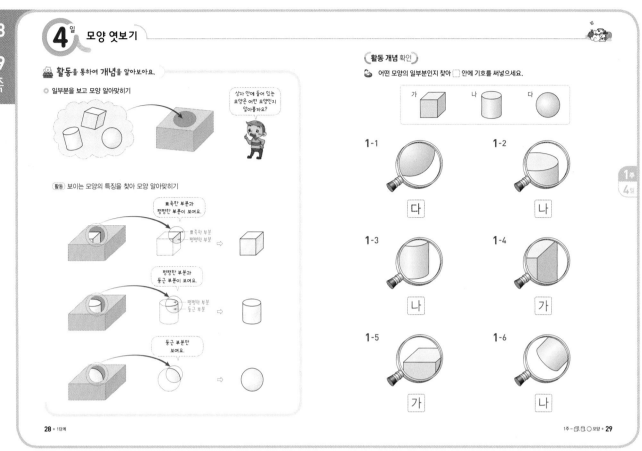

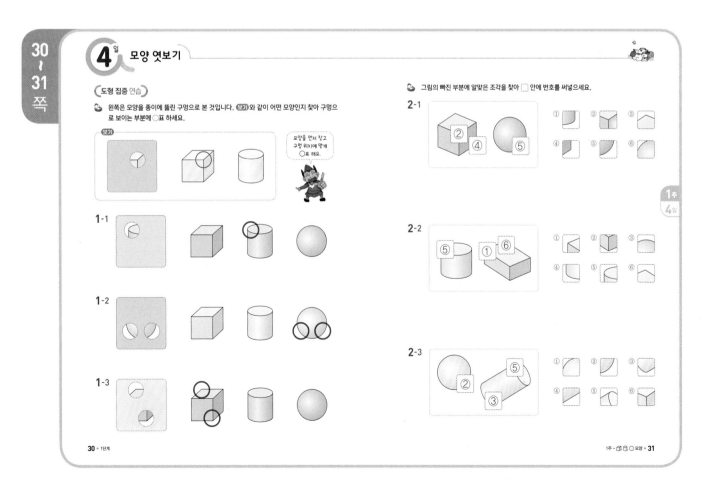

5일 여러 방향에서 본 모양

🎨 활동을 통하여 개념을 알아보아요.

○ ⬜, ⬛, ○ 모양을 위, 앞에서 본 모양 알아보기

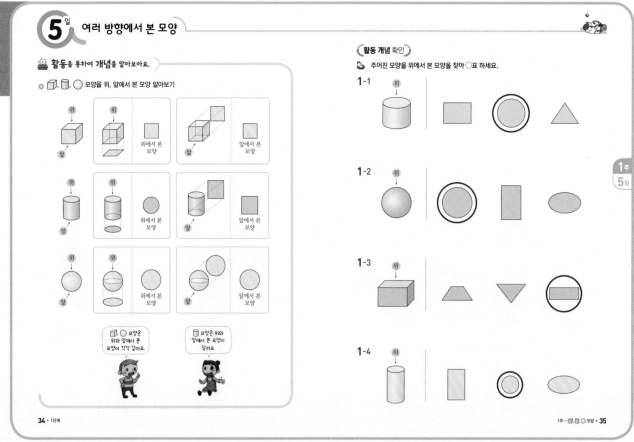

활동 개념 확인

🐾 주어진 모양을 위에서 본 모양을 찾아 ○표 하세요.

1-1

1-2

1-3

1-4

5일 여러 방향에서 본 모양

도형 집중 연습

🐾 앞에서 본 모양이 다른 하나를 찾아 ✕표 하세요.

1-1

1-2

1-3

1-4

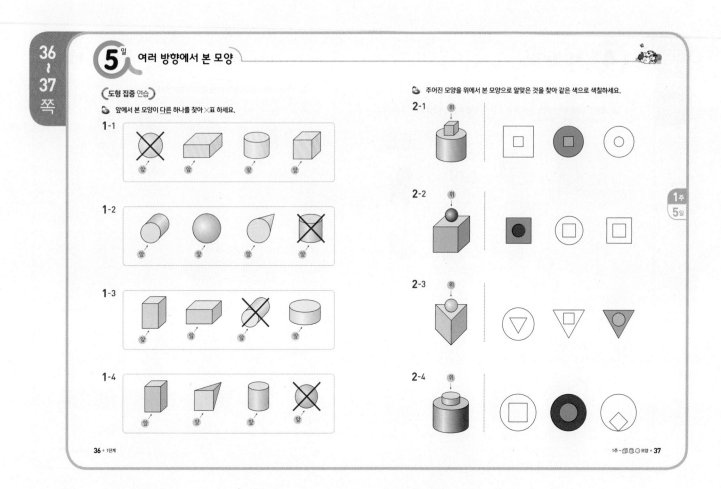

🐾 주어진 모양을 위에서 본 모양으로 알맞은 것을 찾아 같은 색으로 색칠하세요.

2-1

2-2

2-3

2-4

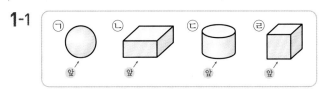

정답과 풀이

풀이

1-1

㉠: ◯ 모양, ㉡, ㉢, ㉣: ▢ 모양

1-2

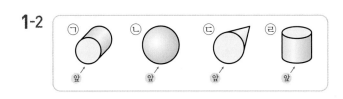

㉠, ㉡, ㉢: ◯ 모양, ㉣: ▢ 모양

1-3

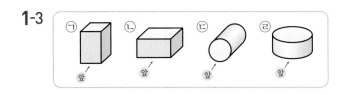

㉠, ㉡, ㉣: ▢ 모양, ㉢: ◯ 모양

1-4

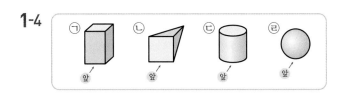

㉠, ㉡, ㉢: ▢ 모양, ㉣: ◯ 모양

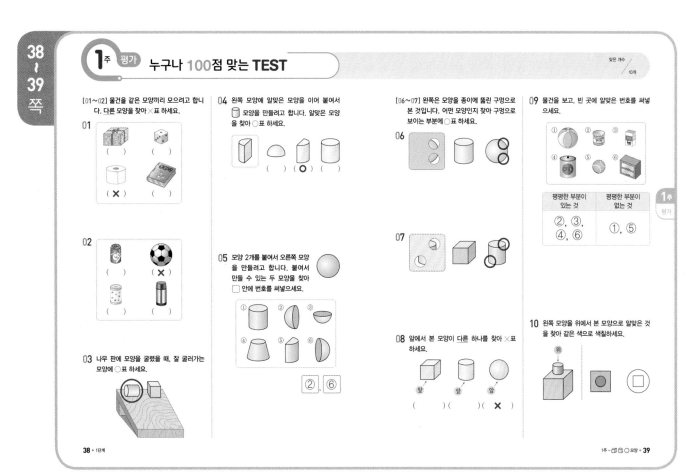

38~39쪽

1주 평가 누구나 100점 맞는 TEST

맞은 개수
10개

[01~02] 물건을 같은 모양끼리 모으려고 합니다. 다른 모양을 찾아 ✕표 하세요.

01
( ) ( )
(✕) ( )

02
( ) (✕)
( ) ( )

03 나무 판에 모양을 굴렸을 때, 잘 굴러가는 모양에 ◯표 하세요.

04 왼쪽 모양에 알맞은 모양을 이어 붙여서 ▢ 모양을 만들려고 합니다. 알맞은 모양을 찾아 ◯표 하세요.

( ) ( ) (◯) ( )

05 모양 2개를 붙여서 오른쪽 모양을 만들려고 합니다. 붙여서 만들 수 있는 두 모양을 찾아 ▢ 안에 번호를 써넣으세요.

① ② ③
④ ⑤ ⑥

② , ⑥

[06~07] 왼쪽은 모양을 종이에 뚫린 구멍으로 본 것입니다. 어떤 모양인지 찾아 구멍으로 보이는 부분에 ◯표 하세요.

06

07

평평한 부분이 있는 것	평평한 부분이 없는 것
②, ③, ④, ⑥	①, ⑤

08 앞에서 본 모양이 다른 하나를 찾아 ✕표 하세요.

( ) ( ) (✕)

09 물건을 보고, 빈 곳에 알맞은 번호를 써넣으세요.

① ② ③
④ ⑤ ⑥

10 왼쪽 모양을 위에서 본 모양으로 알맞은 것을 찾아 같은 색으로 색칠하세요.

위

특강 창의·융합·코딩

다람쥐가 주어진 순서에 맞게 길을 따라가면 어떤 동물을 만날 수 있는지 길을 따라 선을 그어 보세요.

길찾기 방법
• 한 번 지나간 길은 다시 지나가면 안 됩니다.
• → (오른쪽), ← (왼쪽), ↑ (위쪽), ↓ (아래쪽)으로 지나가야 합니다.

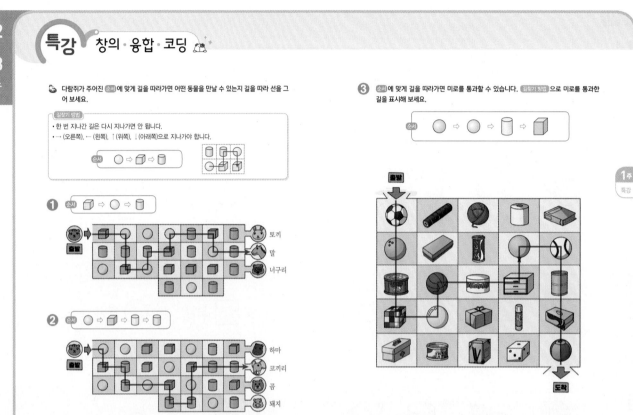

❸ 순서에 맞게 길을 따라가면 미로를 통과할 수 있습니다. 길찾기 방법으로 미로를 통과한 길을 표시해 보세요.

특강 창의·융합·코딩

보기와 같이 빈칸이 없게 같은 모양의 물건끼리 선으로 연결하세요. (단, 모든 칸에 선이 한 번씩 지나가야 합니다.)

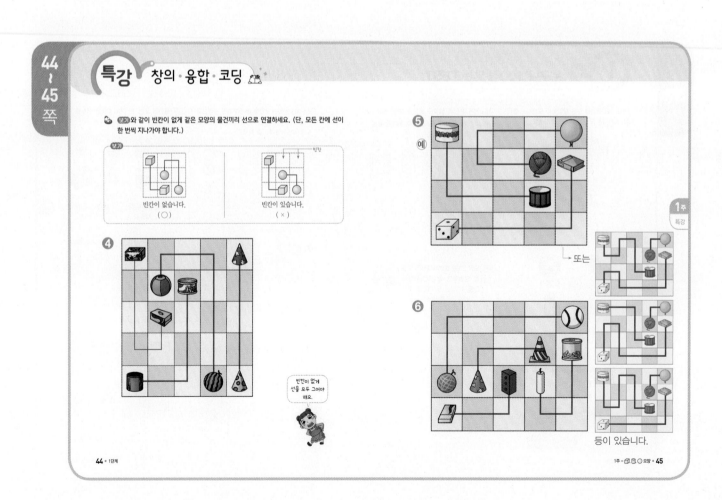

빈칸이 없게
선을 모두 그어야
해요.

등이 있습니다.

2주 | 블록으로 만든 모양

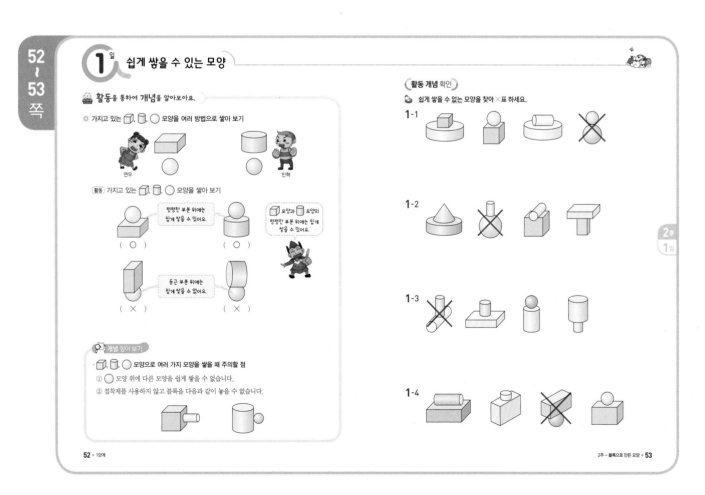

①일 쉽게 쌓을 수 있는 모양

(도형 집중 연습)

1 쉽게 쌓을 수 있는 모양은 ○표, 쉽게 쌓을 수 없는 모양은 ×표 하세요.

2 주어진 블록 중 4개를 사용하여 가장 높이 쌓을 수 있도록 블록 모양의 붙임 딱지를 골라 나타내어 보세요.

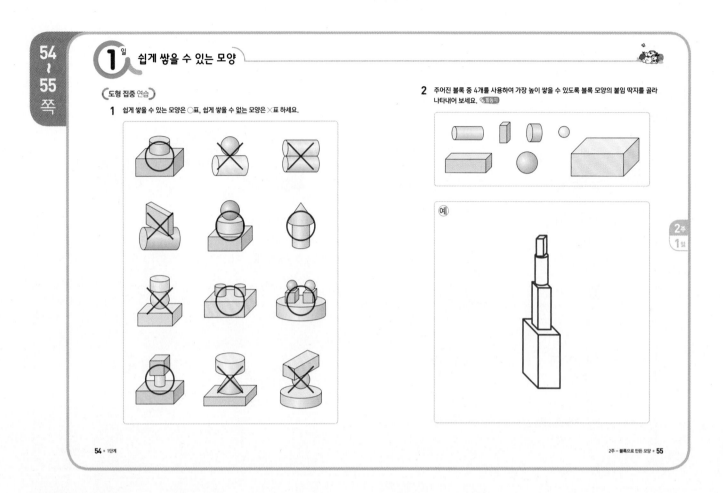

예)

②일 순서대로 쌓기

🐻 활동을 통하여 개념을 알아보아요.

◎ 주어진 블록을 모두 이용하여 순서대로 쌓아 보기

(활동 개념 확인)

🐻 다음과 같은 순서로 쌓은 모양을 보기에서 찾아 기호를 쓰세요.

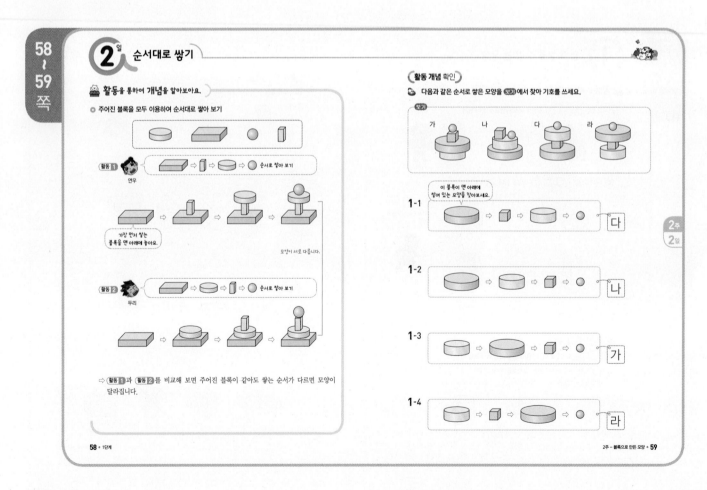

⇨ 활동 1 과 활동 2 를 비교해 보면 주어진 블록이 같아도 쌓는 순서가 다르면 모양이 달라집니다.

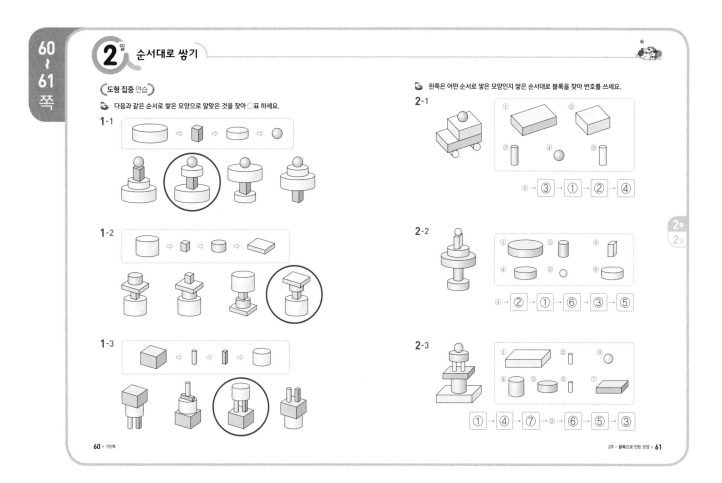

풀이

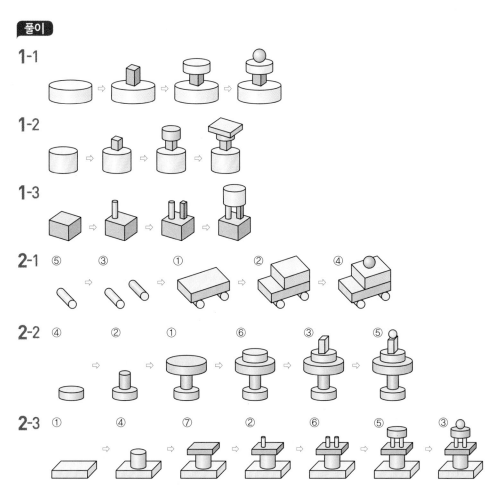

3 일 모양 비교하기

활동을 통하여 개념을 알아보아요.

○ 붙여 만든 모양을 보고 다른 블록 찾아보기

민혁이와 연우가 만든 나비 모양에서 각 부분의 블록을 비교하여 다른 부분을 찾아보세요.

활동 각 부분에 사용된 블록을 차례로 비교해 보기

민혁		연우	
○ ○	눈	○ ○	→ 같습니다.
▯ ▯	더듬이	▯ ▯	→ 같습니다.
	날개와 몸통		

몸통 부분이 다릅니다.

각 부분에 사용된 블록을 차례로 비교하면 몸통 부분이 다릅니다.

각 부분에 사용된 블록을 차례로 비교해 봐요.

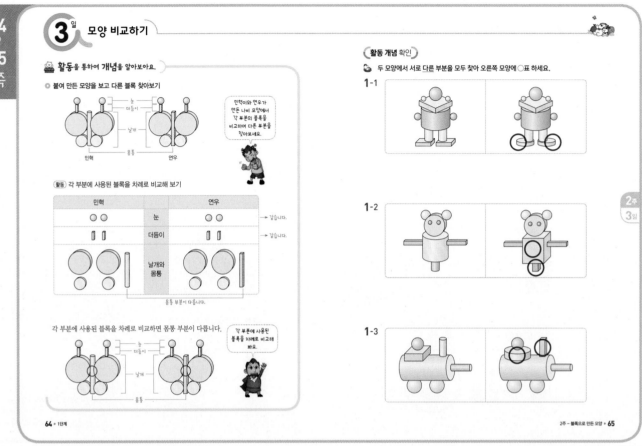

두 모양에서 서로 다른 부분을 모두 찾아 오른쪽 모양에 ○표 하세요.

1-1

1-2

1-3

2주 3일

---

3 일 모양 비교하기

도형 집중 연습

왼쪽 모양과 오른쪽 모양을 비교하여 오른쪽 모양에서 더 많이 사용한 블록을 모두 찾아 ○표 하세요.

1-1

1-2

1-3

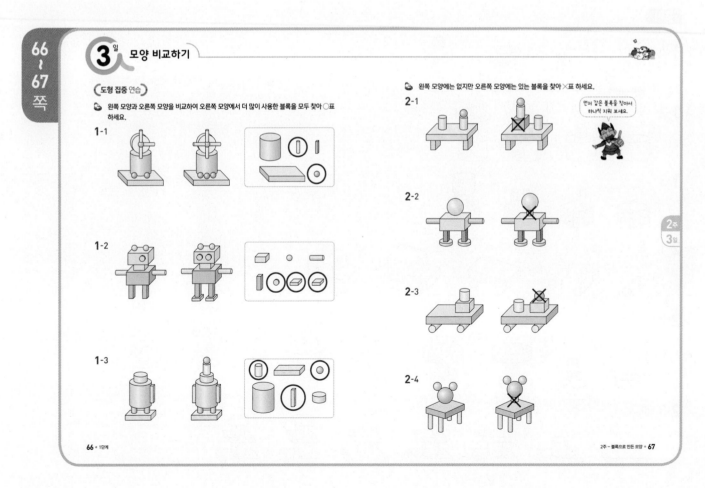

왼쪽 모양에는 없지만 오른쪽 모양에는 있는 블록을 찾아 ✕표 하세요.

먼저 같은 블록을 찾아서 하나씩 지워 보세요.

2-1

2-2

2-3

2-4

2주 3일

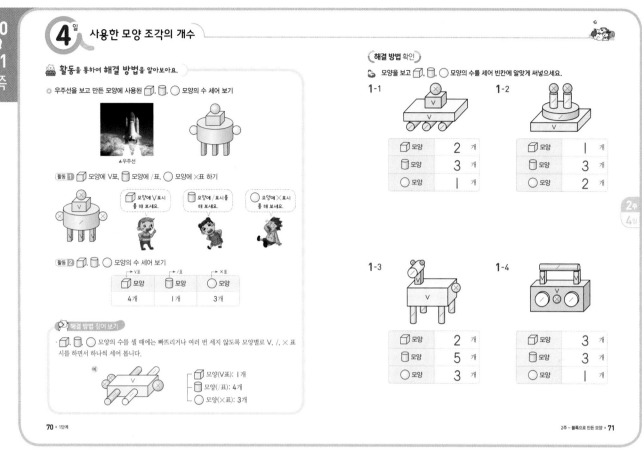

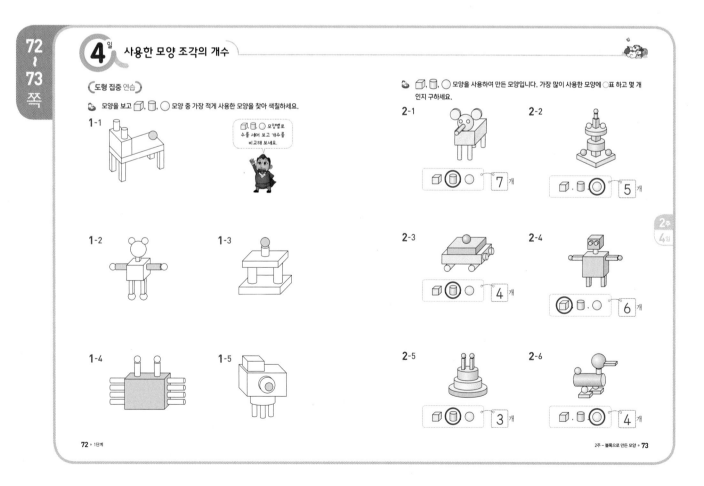

1-3

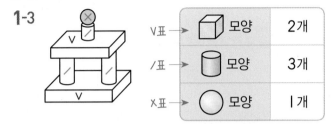

V표 →	🔲 모양	2개
/표 →	🛢 모양	3개
X표 →	⚪ 모양	1개

2-4

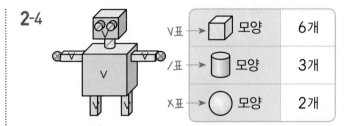

V표 →	🔲 모양	6개
/표 →	🛢 모양	3개
X표 →	⚪ 모양	2개

1-4

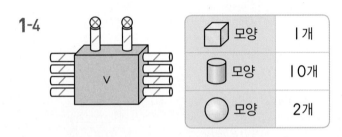

🔲 모양	1개
🛢 모양	10개
⚪ 모양	2개

2-5

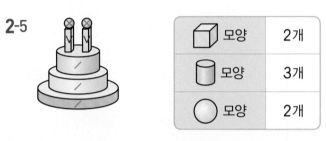

🔲 모양	2개
🛢 모양	3개
⚪ 모양	2개

1-5

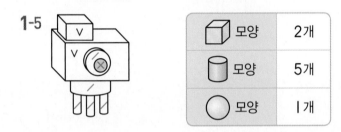

🔲 모양	2개
🛢 모양	5개
⚪ 모양	1개

2-6

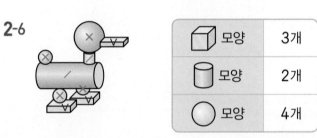

🔲 모양	3개
🛢 모양	2개
⚪ 모양	4개

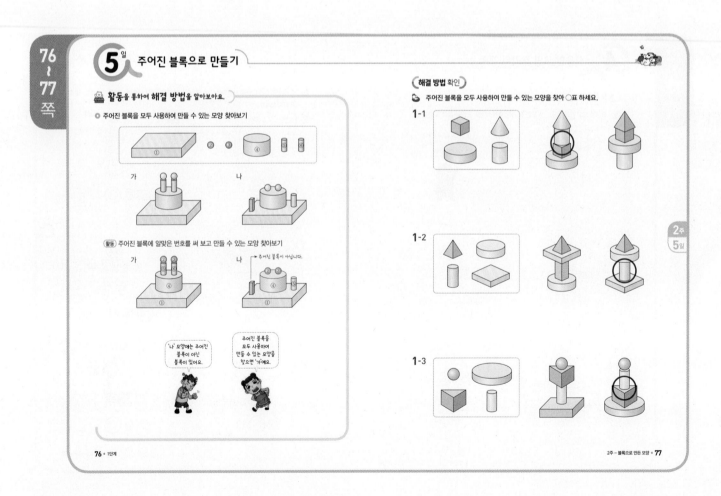

5일 주어진 블록으로 만들기

🐻 활동을 통하여 해결 방법을 알아보아요.

◎ 주어진 블록을 모두 사용하여 만들 수 있는 모양 찾아보기

가   나

활동 주어진 블록에 알맞은 번호를 써 보고 만들 수 있는 모양 찾아보기

가   나 → 주어진 블록이 아닙니다.

'나' 모양에는 주어진 블록이 아닌 블록이 있어요.

주어진 블록을 모두 사용하여 만들 수 있는 모양을 찾으면 '가'예요

해결 방법 확인

🐰 주어진 블록을 모두 사용하여 만들 수 있는 모양을 찾아 ○표 하세요.

1-1

1-2

1-3

5일 주어진 블록으로 만들기

도형 집중 연습

1 왼쪽 블록을 모두 사용하여 만들 수 있는 모양을 오른쪽에서 찾아 이어 보세요.

왼쪽 모양을 만드는 데 사용하지 않은 블록을 모두 찾아 ✕표 하세요.

2-1

2-2

2-3

2-4

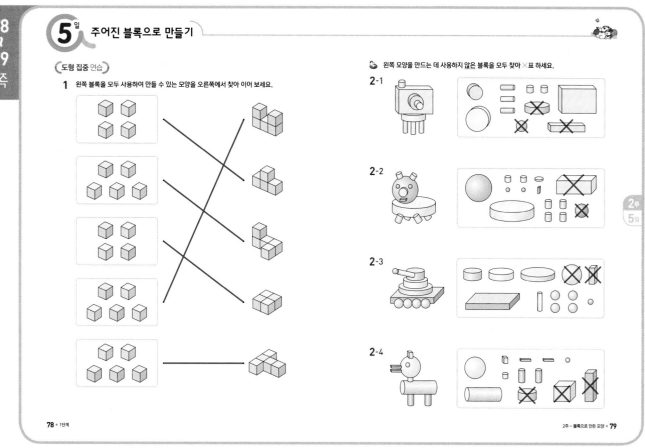

2주 평가 누구나 100점 맞는 TEST

맞은 개수 /10개

01 쉽게 쌓을 수 없는 모양을 찾아 ✕표 하세요.

[02~03] 다음과 같은 순서로 쌓은 모양을 보기에서 찾아 기호를 쓰세요.

보기
가   나   다

02

나

03

가

04 모양의 수를 세어 빈칸에 알맞게 써넣으세요.

모양	3	개
모양	3	개
모양	2	개

05 주어진 블록을 모두 사용하여 만들 수 있는 모양을 찾아 ○표 하세요.

06 쉽게 쌓을 수 있는 모양은 ○표, 쉽게 쌓을 수 없는 모양은 ✕표 하세요.

07 오른쪽 모양은 어떤 순서로 쌓은 모양인지 쌓은 순서대로 블록을 찾아 번호를 쓰세요.

① ②
③ ④ ⑤

① → 5 → 2 → 4 → 3

08 왼쪽 모양에는 없지만 오른쪽 모양에는 있는 블록을 찾아 ✕표 하세요.

09 모양을 사용하여 만든 모양입니다. 가장 많이 사용한 모양에 ○표 하고 몇 개인지 구하세요.

6 개

10 다음 모양을 만드는 데 사용하지 않은 블록을 모두 찾아 ✕표 하세요.

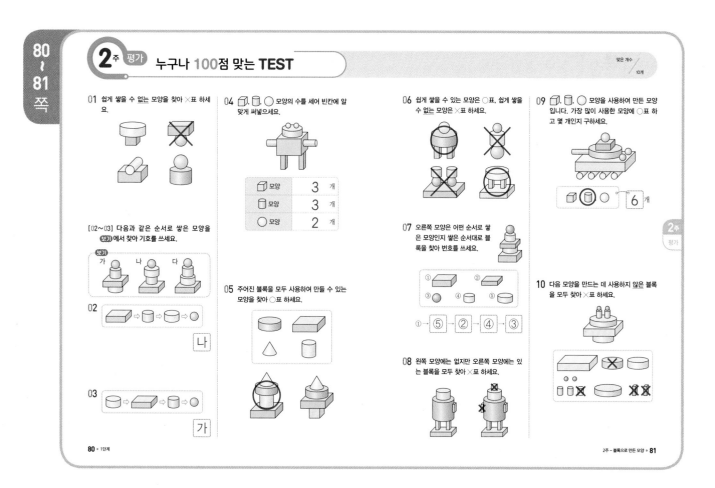

특강 창의·융합·코딩

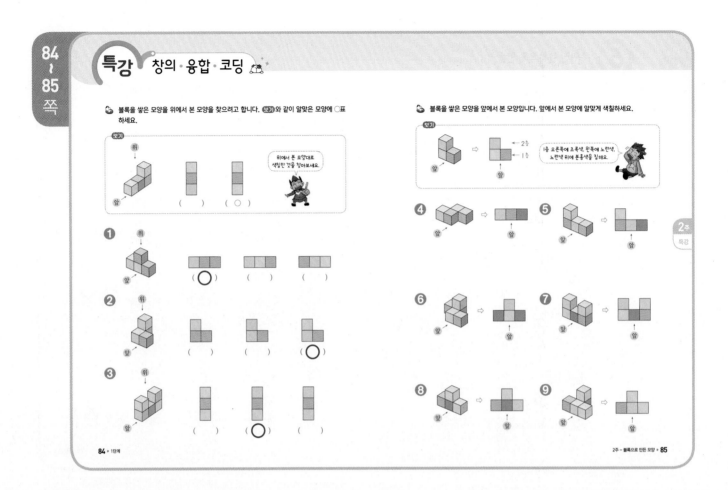

특강 창의·융합·코딩

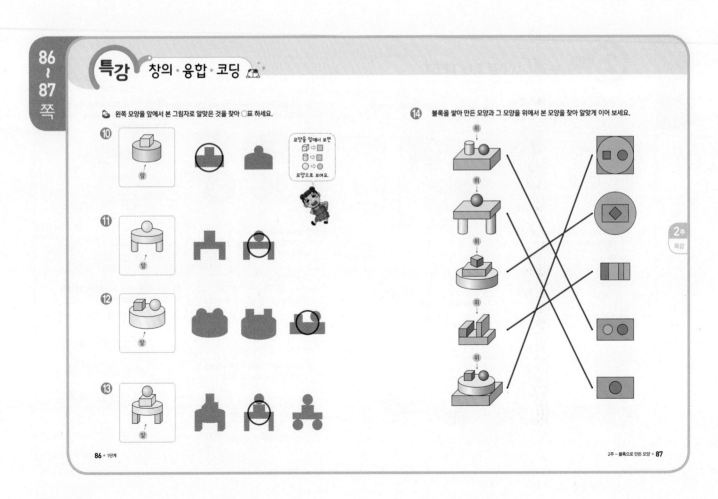

3주 ▢, △, ◯ 모양

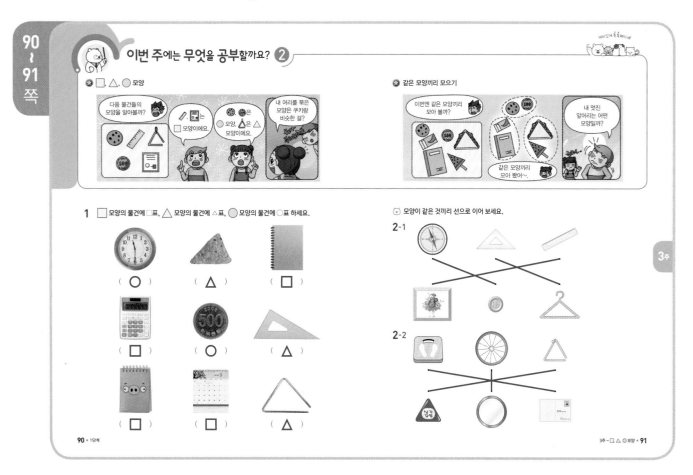

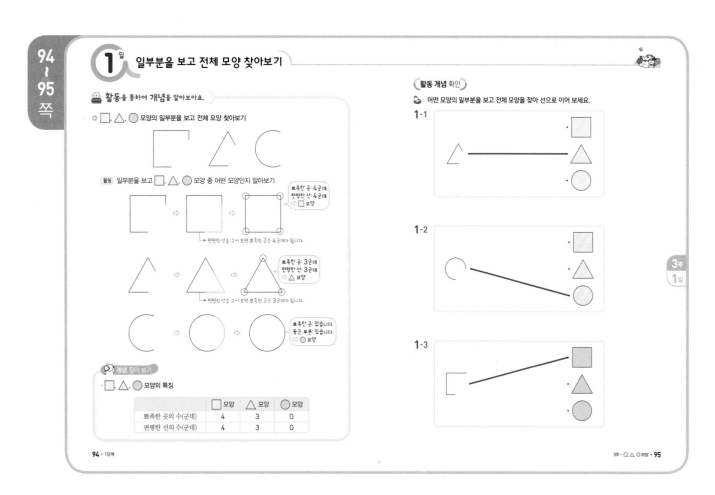

1일 일부분을 보고 전체 모양 찾아보기

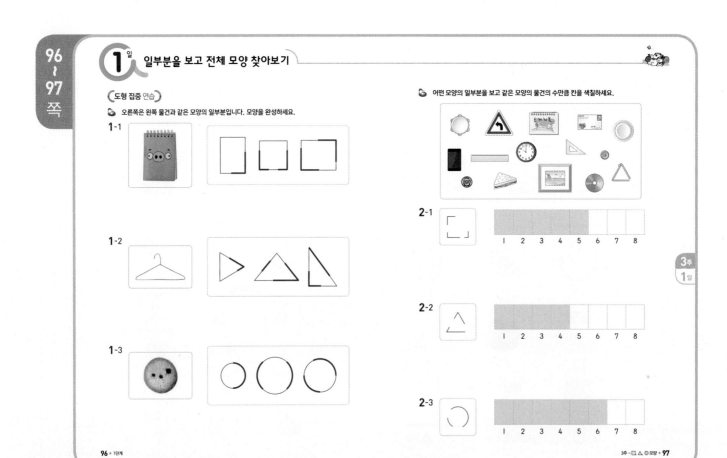

도형 집중 연습

👉 오른쪽은 왼쪽 물건과 같은 모양의 일부분입니다. 모양을 완성하세요.

1-1

1-2

1-3

👉 어떤 모양의 일부분을 보고 같은 모양의 물건의 수만큼 칸을 색칠하세요.

2-1 | 1 | 2 | 3 | 4 | 5 | 6 | 7 | 8 |

2-2 | 1 | 2 | 3 | 4 | 5 | 6 | 7 | 8 |

2-3 | 1 | 2 | 3 | 4 | 5 | 6 | 7 | 8 |

2일 □, △, ○ 모양 접어 보기

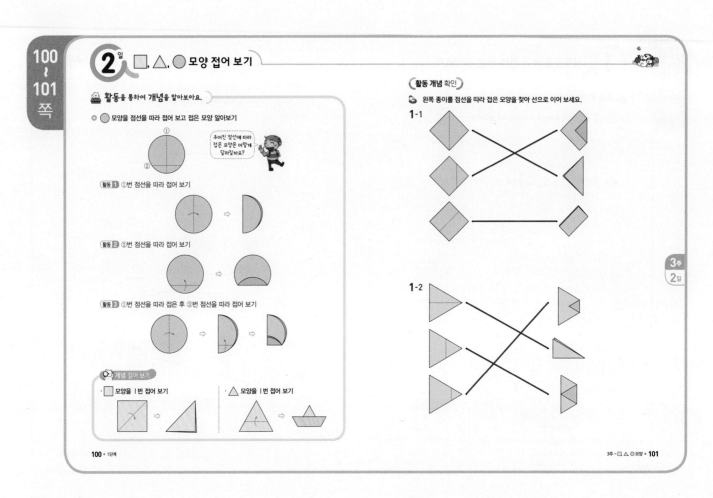

활동을 통하여 개념을 알아보아요.

○ ○ 모양을 점선을 따라 접어 보고 접은 모양 알아보기

주어진 점선에 따라 접은 모양은 어떻게 달라질까요?

활동 1 ①번 점선을 따라 접어 보기

활동 2 ②번 점선을 따라 접어 보기

활동 3 ①번 점선을 따라 접은 후 ②번 점선을 따라 접어 보기

개념 짚어 보기

□ 모양을 1번 접어 보기   △ 모양을 1번 접어 보기

활동 개념 확인

👉 왼쪽 종이를 점선을 따라 접은 모양을 찾아 선으로 이어 보세요.

1-1

1-2

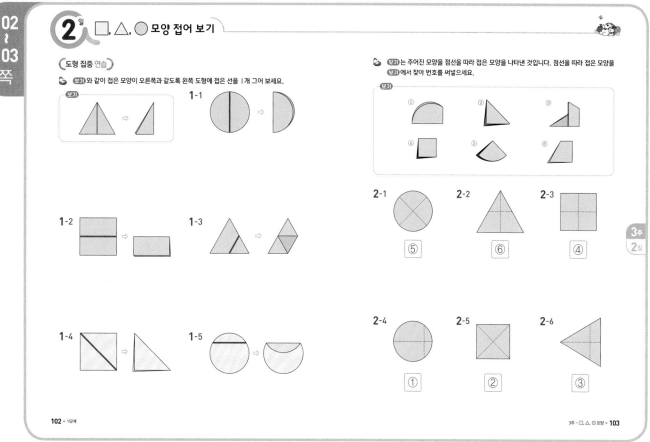

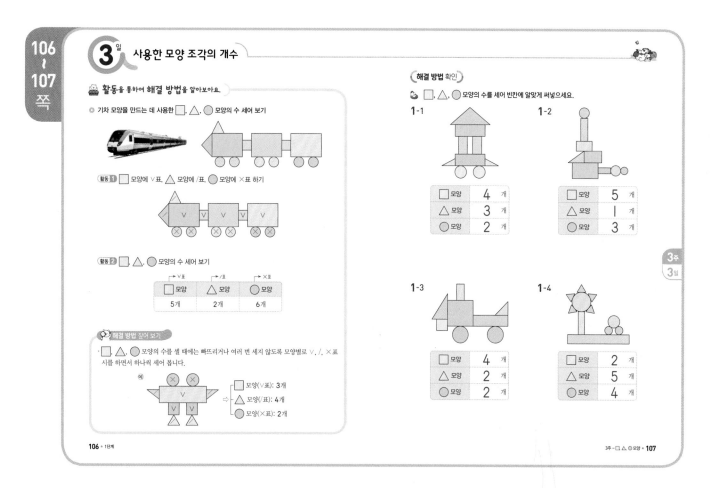

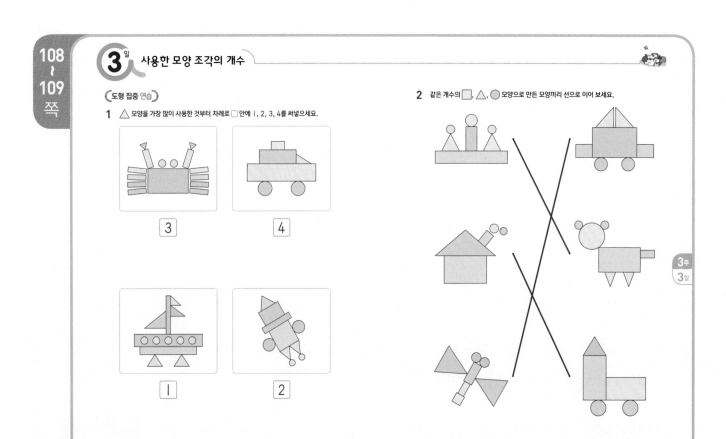

풀이

1 (위부터) △ 모양: 2개, △ 모양: 1개, △ 모양: 5개, △ 모양: 3개

2

□ 모양: 2개 (∨표)
△ 모양: 2개 (/표)
○ 모양: 3개 (×표)

□ 모양: 3개
△ 모양: 2개
○ 모양: 2개

□ 모양: 2개
△ 모양: 1개
○ 모양: 2개

□ 모양: 2개
△ 모양: 2개
○ 모양: 3개

□ 모양: 3개
△ 모양: 2개
○ 모양: 2개

□ 모양: 2개
△ 모양: 1개
○ 모양: 2개

4일 ☐, △ 모양으로 만든 모양 알아보기

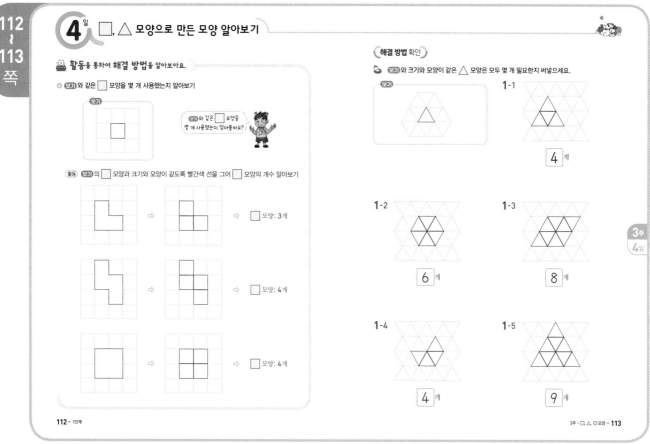

활동을 통하여 해결 방법을 알아보아요.

○ 보기와 같은 ☐ 모양을 몇 개 사용했는지 알아보기

보기와 같은 ☐ 모양을 몇 개 사용했는지 알아볼까요?

활동 보기의 ☐ 모양과 크기와 모양이 같도록 빨간색 선을 그어 ☐ 모양의 개수 알아보기

⇒ ☐ 모양: 3개

⇒ ☐ 모양: 4개

⇒ ☐ 모양: 4개

해결 방법 확인

보기와 크기와 모양이 같은 △ 모양은 모두 몇 개 필요한지 써넣으세요.

보기

1-1 **4** 개

1-2 **6** 개

1-3 **8** 개

1-4 **4** 개

1-5 **9** 개

4일 ☐, △ 모양으로 만든 모양 알아보기

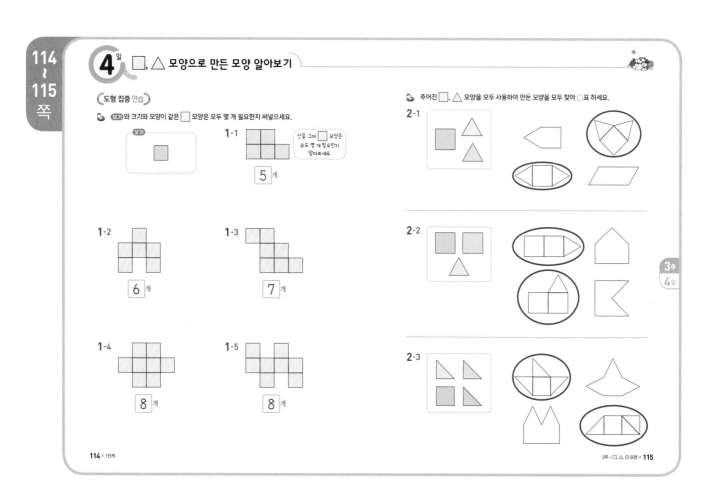

도형 집중 연습

보기와 크기와 모양이 같은 ☐ 모양은 모두 몇 개 필요한지 써넣으세요.

보기

1-1 선을 그어 ☐ 모양은 모두 몇 개 필요한지 알아보세요. **5** 개

1-2 **6** 개

1-3 **7** 개

1-4 **8** 개

1-5 **8** 개

주어진 ☐, △ 모양을 모두 사용하여 만든 모양을 모두 찾아 ○표 하세요.

2-1

2-2

2-3

5^일 주어진 모양을 모두 사용하여 꾸미기

👣 **활동**을 통하여 **해결 방법**을 알아보아요.

◎ 모양 조각을 모두 사용하여 꾸밀 수 있는 모양 찾아보기

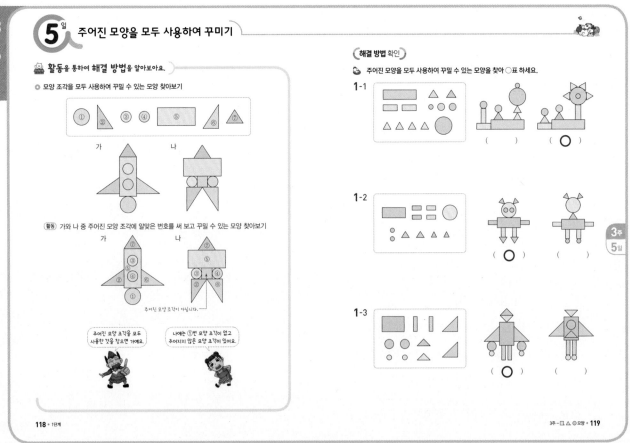

활동 가와 나 중 주어진 모양 조각에 알맞은 번호를 써 보고 꾸밀 수 있는 모양 찾아보기

주어진 모양 조각을 모두 사용한 것을 찾으면 가예요.

나에는 ①번 모양 조각이 없고 주어지지 않은 모양 조각이 있어요.

(해결 방법 확인)

🐷 주어진 모양을 모두 사용하여 꾸밀 수 있는 모양을 찾아 ◯표 하세요.

1-1 ( ) (◯)

1-2 (◯) ( )

3주
5일

1-3 (◯) ( )

5^일 주어진 모양을 모두 사용하여 꾸미기

(도형 집중 연습)

🐱 왼쪽 모양을 꾸미는 데 사용하지 않은 조각을 모두 찾아 ✕표 하세요.

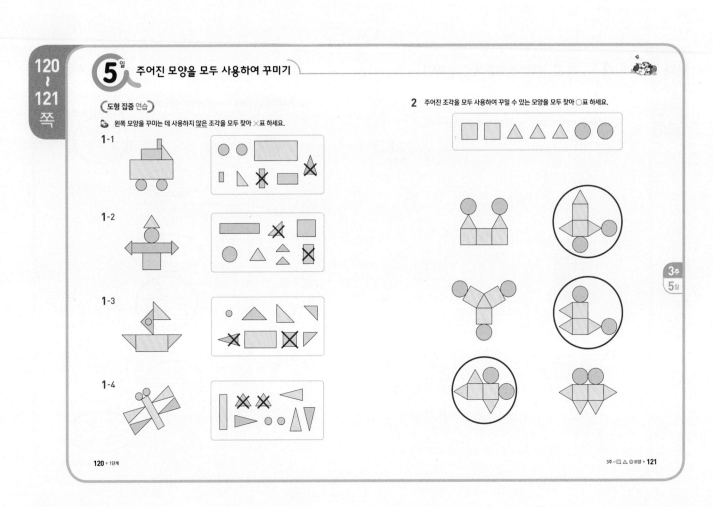

1-1

1-2

1-3

1-4

2 주어진 조각을 모두 사용하여 꾸밀 수 있는 모양을 모두 찾아 ◯표 하세요.

풀이

2 주어진 조각은 ☐ 모양이 2개, △ 모양이 3개, ⬤ 모양이 2개입니다.

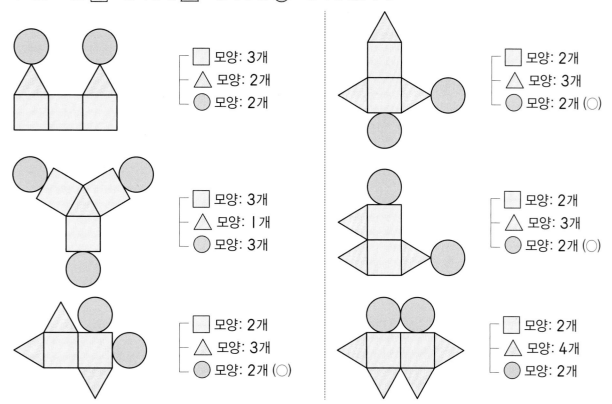

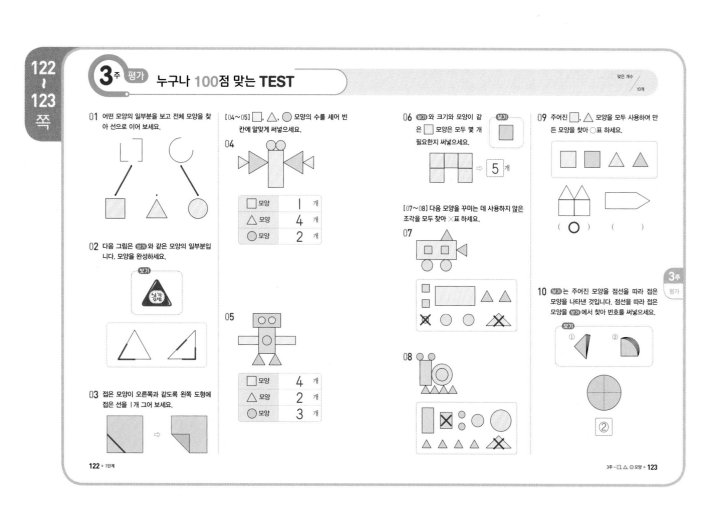

특강 창의·융합·코딩

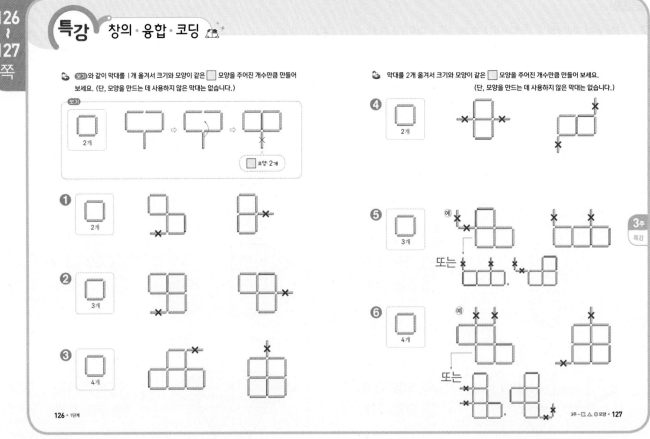

특강 창의·융합·코딩

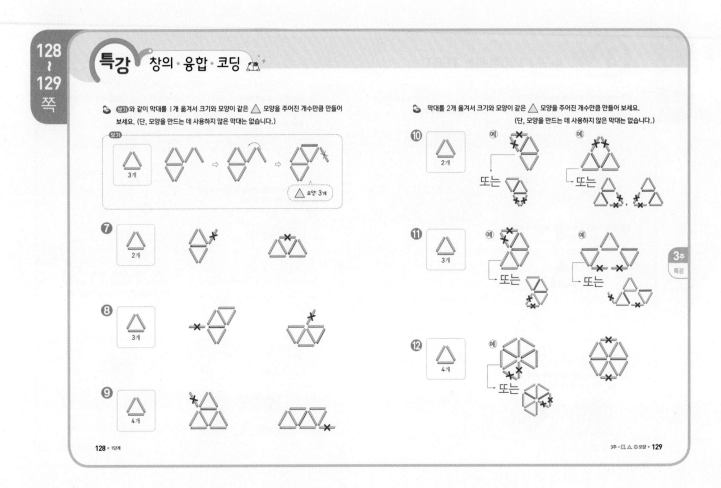

4주 겹친 모양과 규칙 찾기

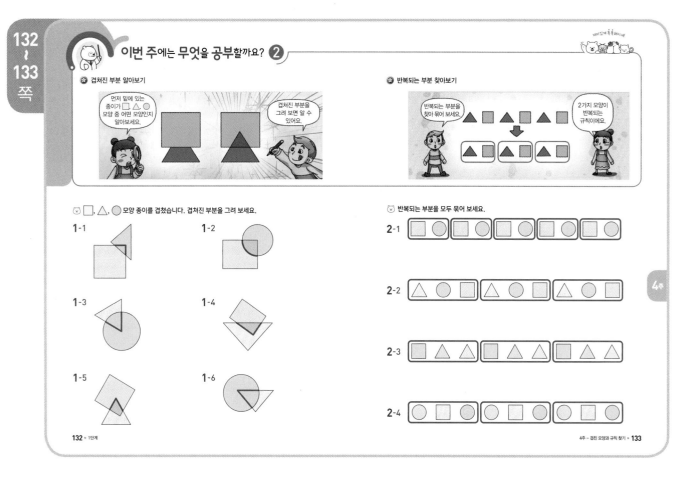

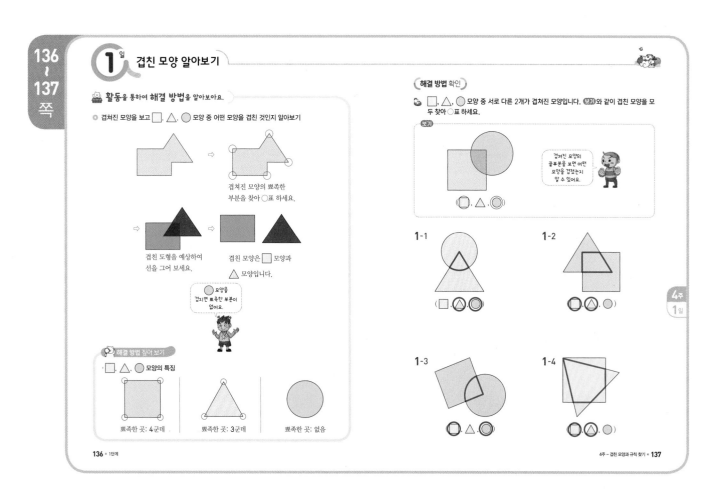

1일 겹친 모양 알아보기

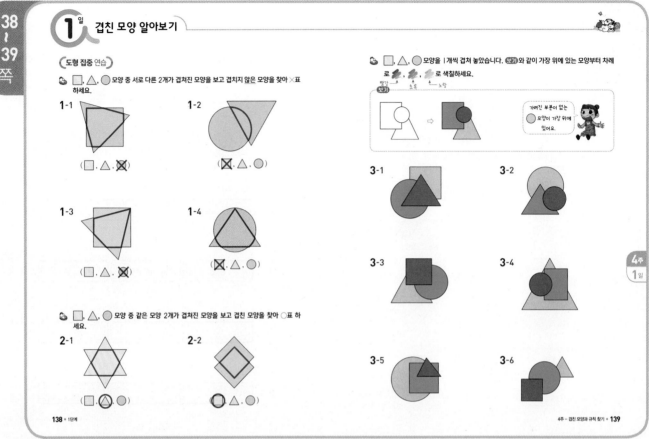

도형 집중 연습

□, △, ○ 모양 중 서로 다른 2개가 겹쳐진 모양을 보고 겹치지 않은 모양을 찾아 ×표 하세요.

1-1 (□ . △ . ⊠)

1-2 (⊠ . △ . ○)

1-3 (□ . △ . ⊠)

1-4 (⊠ . △ . ○)

□, △, ○ 모양 중 같은 모양 2개가 겹쳐진 모양을 보고 겹친 모양을 찾아 ○표 하세요.

2-1 (□ . ⊘ . ○)

2-2 (⊙ . △ . ○)

□, △, ○ 모양을 1개씩 겹쳐 놓았습니다. 보기 와 같이 가장 위에 있는 모양부터 차례로 빨강, 초록, 노랑 으로 색칠하세요.

가려진 부분이 없는 ○ 모양이 가장 위에 있어요.

3-1

3-2

3-3

3-4

3-5

3-6

4주
1일

2일 구멍 난 종이 겹치기

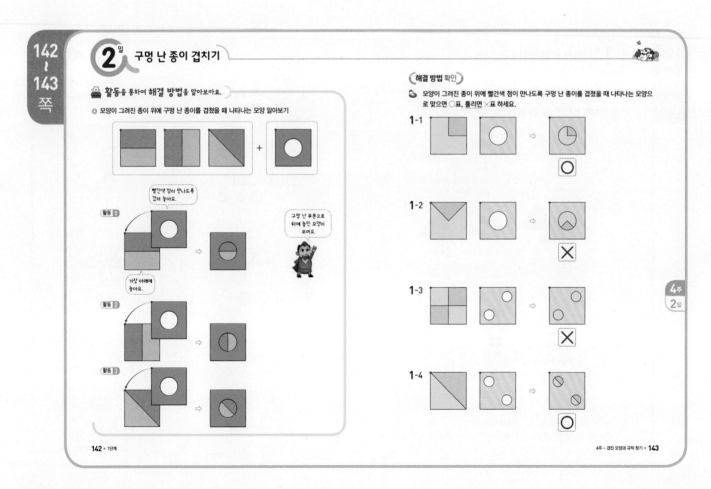

활동을 통하여 해결 방법을 알아보아요.

◇ 모양이 그려진 종이 위에 구멍 난 종이를 겹쳤을 때 나타나는 모양 알아보기

활동 1 빨간색 점이 만나도록 겹쳐 놓아요. 구멍 난 부분으로 뒤에 놓인 모양이 보여요.

활동 2 가장 아래에 놓아요.

활동 3

해결 방법 확인

모양이 그려진 종이 위에 빨간색 점이 만나도록 구멍 난 종이를 겹쳤을 때 나타나는 모양으로 맞으면 ○표, 틀리면 ×표 하세요.

1-1 ○

1-2 ×

1-3 ×

1-4 ○

4주
2일

144~145쪽

2일 구멍 난 종이 겹치기

144~145쪽

(도형 집중 연습)

1 종이 위에 빨간색 점이 만나도록 구멍 난 종이 2장을 차례로 옮겨서 겹쳤을 때 나타나는 모양을 찾아 선으로 이어 보세요.

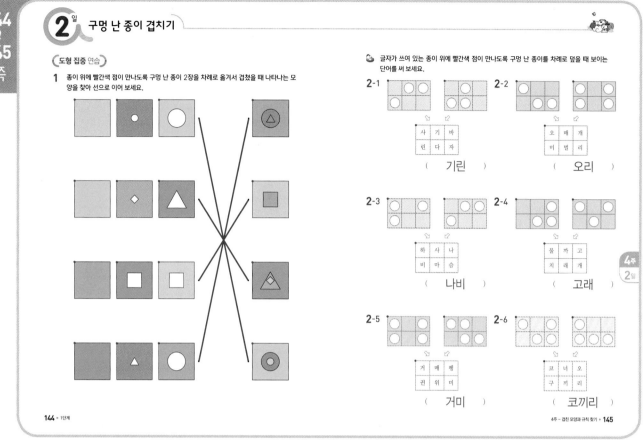

글자가 쓰여 있는 종이 위에 빨간색 점이 만나도록 구멍 난 종이를 차례로 덮을 때 보이는 단어를 써 보세요.

2-1 (기린)

2-2 (오리)

2-3 (나비)

2-4 (고래)

2-5 (거미)

2-6 (코끼리)

144 ▸ 1단계

4주 – 겹친 모양과 규칙 찾기 ▸ 145

148~149쪽

3일 규칙 찾기

활동을 통하여 해결 방법을 알아보아요.

◦ 규칙을 찾아 □ 안에 알맞은 과일을 알아보기

(활동 1) 반복되는 부분을 찾아 □로 묶기

⇨ 🍎 – 🍌 가 반복됩니다.

(활동 2) □ 안에 알맞은 과일 알아보기

⇨ 규칙에 따라 □ 안에 알맞은 과일은 차례로 🍎, 🍌 입니다.

(해결 방법 짚어 보기)

· 규칙을 찾아 □ 안에 알맞은 모양 알아보기

(규칙) 🥫 ⬭ 이 반복되므로 □ 안에 알맞은 모양은 ⬭ 입니다.

(규칙) ◼, ◻ ◼ 이 반복되므로 □ 안에 알맞은 모양은 ◼ 입니다.

(해결 방법 확인)

◦ 규칙을 찾아 □ 안에 알맞은 모양에 ○표 하세요.

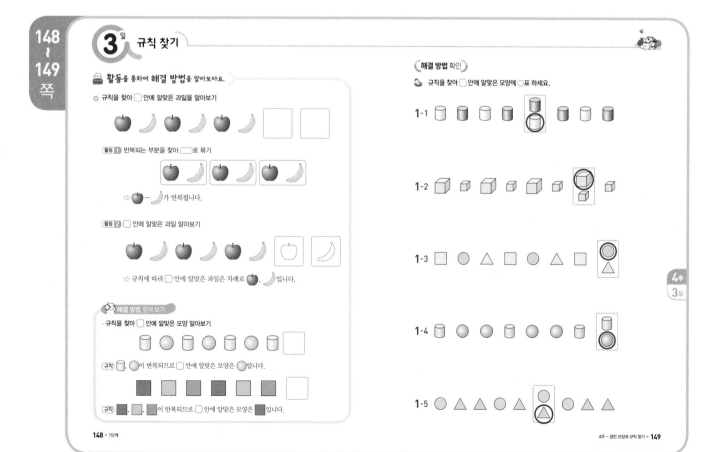

148 ▸ 1단계

4주 – 겹친 모양과 규칙 찾기 ▸ 149

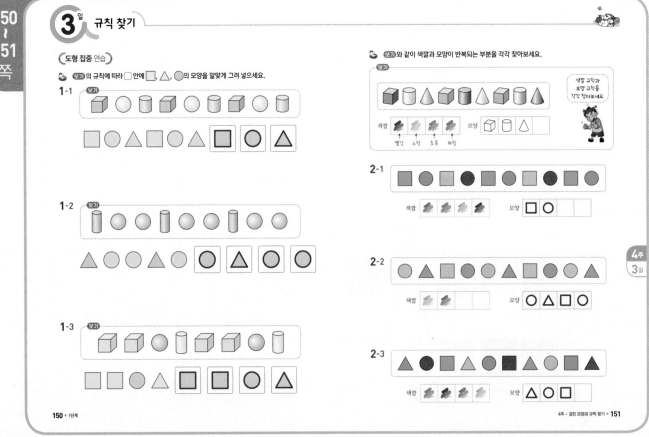

풀이

1-1 🔷⚪🔵이 반복됩니다.

🔷 모양은 ⬜ 모양으로,

⚪ 모양은 ⚪ 모양으로,

🔵 모양은 △ 모양으로 나타냅니다.

1-2 🔵⚪⚪이 반복됩니다.

🔵 모양은 △ 모양으로,

⚪ 모양은 ⚪ 모양으로 나타냅니다.

1-3 🔷🔷⚪🔵이 반복됩니다.

🔷 모양은 ⬜ 모양으로,

⚪ 모양은 ⚪ 모양으로,

🔵 모양은 △ 모양으로 나타냅니다.

2-1 • 색깔은 파랑, 초록, 노랑, 빨강이 반복되는 규칙입니다.

• 모양은 ⬜⚪이 반복되는 규칙입니다.

2-2 • 색깔은 노랑, 파랑이 반복되는 규칙입니다.

• 모양은 ⚪△⬜⚪이 반복되는 규칙입니다.

2-3 • 색깔은 초록, 빨강, 파랑, 노랑이 반복되는 규칙입니다.

• 모양은 △⚪⬜이 반복되는 규칙입니다.

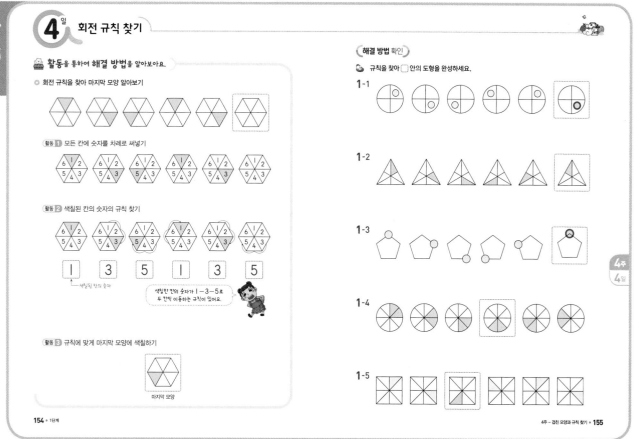

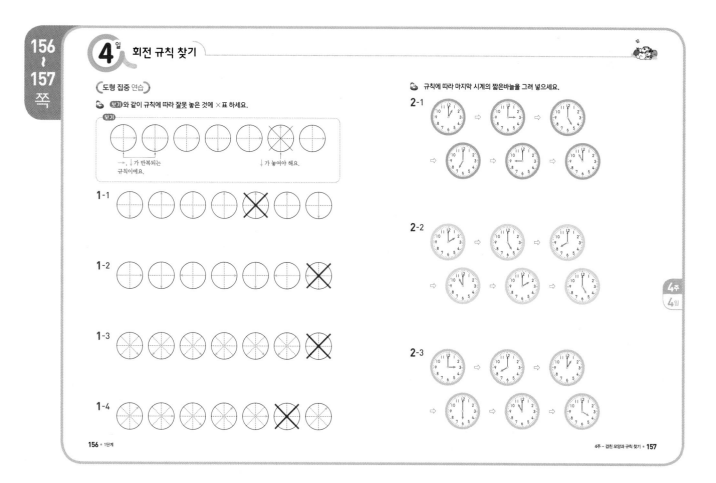

풀이

1-1  가 반복되는 규칙입니다.

1-2 가 반복되는 규칙입니다.

1-3 가 반복되는 규칙입니다.

1-4 가 반복되는 규칙입니다.

2-1 시계의 짧은바늘이 시계 방향으로 큰 눈금 2칸씩 이동하는 규칙입니다.

2-2 시계의 짧은바늘이 시계 방향으로 큰 눈금 3칸씩 이동하는 규칙입니다.

2-3 시계의 짧은바늘이 시계 방향으로 큰 눈금 5칸씩 이동하는 규칙입니다.

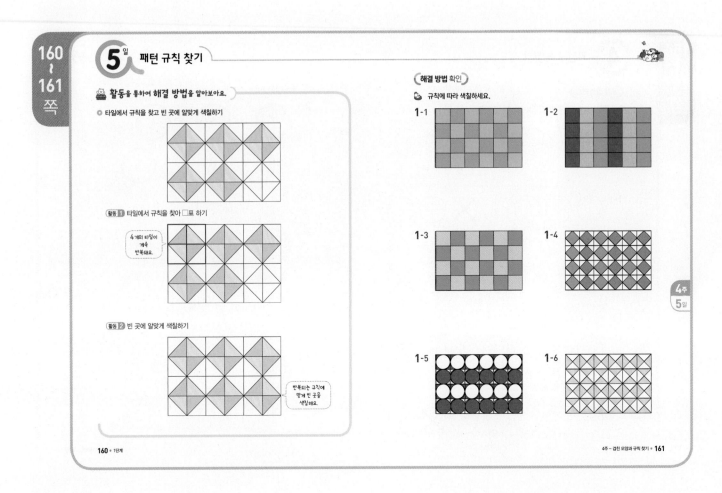

162~163쪽

5 일 패턴 규칙 찾기

도형 집중 연습

규칙에 따라 반복되는 무늬가 아닌 부분을 모두 찾아 ✕표 하세요.

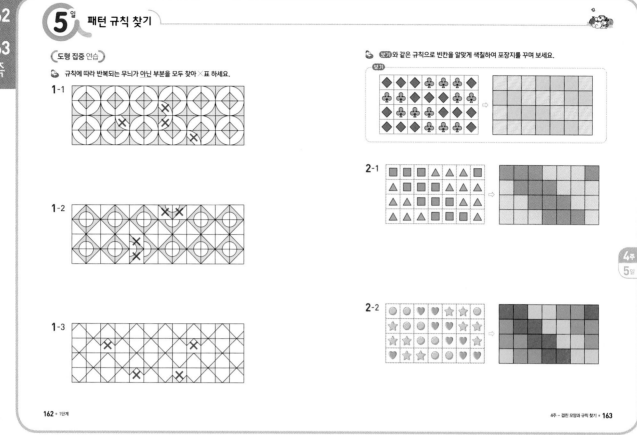

보기 와 같은 규칙으로 빈칸을 알맞게 색칠하여 포장지를 꾸며 보세요.

164~165쪽

4주 평가 누구나 100점 맞는 TEST

맞은 개수 /10개

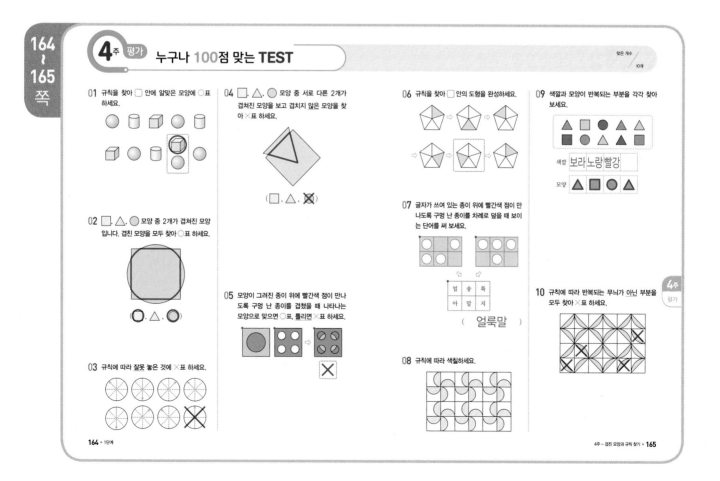

07 글자가 쓰여 있는 종이 위에 빨간색 점이 만나도록 구멍 난 종이를 차례로 덮을 때 보이는 단어를 써 보세요.

(얼룩말)

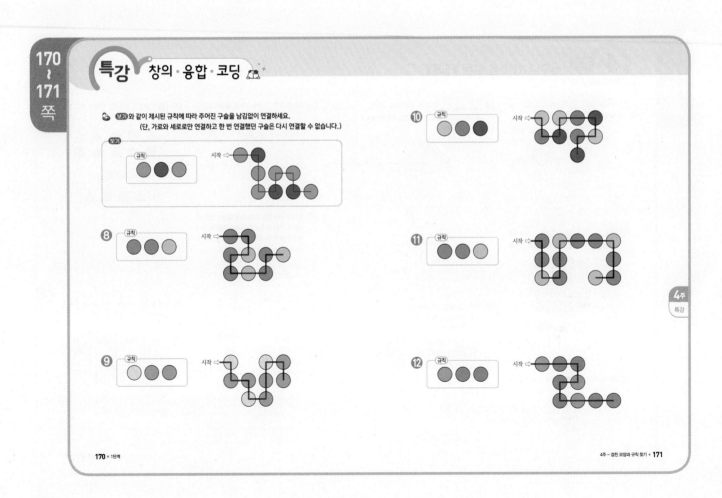

특강 창의 · 융합 · 코딩

보기와 같이 바로 앞의 모양과 색을 반전한 모양이 반복되도록 색칠하세요.

보기

색칠한 위치를 찾아 규칙을 알아보세요.

❶

❷

❸

바로 앞의 모양과 색을 반전한 모양이 반복되도록 색칠하세요.

❹

❺

❻

❼

4주 특강

특강 창의 · 융합 · 코딩

보기와 같이 제시된 규칙에 따라 주어진 구슬을 남김없이 연결하세요.
(단, 가로와 세로로만 연결하고 한 번 연결했던 구슬은 다시 연결할 수 없습니다.)

보기

규칙

시작

❽ 규칙 시작

❾ 규칙 시작

❿ 규칙 시작

⓫ 규칙 시작

⓬ 규칙 시작

4주 특강

기초 학습능력 강화 교재

연산이 즐거워지는 공부습관

똑똑한 하루

빅터연산

기초부터 튼튼하게

수학의 기초는 연산!
빅터가 쉽고 재미있게 알려주는 연산 원리와
집중 연산을 통해 연산 해결 능력 강화

게임보다 재미있다

지루하고 힘든 연산은 NO!
수수께끼, 연상퀴즈, 실생활 문제로
쉽고 재미있는 연산 YES!

더! 풍부한 학습량

수·연산 문제를 충분히 담은 풍부한 학습량
교재 표지의 QR을 통해 모바일 학습 제공
교과와 연계되어 학기용 교재로도 OK

초등 연산의 빅데이터!
기초 탄탄 연산서
예비초~초2(각 A~D)
초3~6(각 A~B)

정답은
이안에
있어!

기초 학습능력 강화 프로그램

매일 조금씩 공부력 UP!

하루 독해   하루 어휘   하루 VOCA

하루 수학   하루 계산   하루 도형

과목	교재 구성	과목	교재 구성
하루 수학	1~6학년 1·2학기 12권	하루 사고력	1~6학년 A·B단계 12권
하루 VOCA	3~6학년 A·B단계 8권	하루 글쓰기	1~6학년 A·B단계 12권
하루 사회	3~6학년 1·2학기 8권	하루 한자	1~6학년 A·B단계 12권
하루 과학	3~6학년 1·2학기 8권	하루 어휘	예비초~6학년 1~6단계 6권
하루 도형	1~6단계 6권	하루 독해	예비초~6학년 A·B단계 12권
하루 계산	1~6학년 A·B단계 12권		

※ 각 교재별 출간 시기는 조금씩 다릅니다.

나는 그 누구보다도 실수를 많이 한다.
그리고 그 실수들 대부분에서
특허를 받아낸다.

I make more mistakes than anybody
and get a patent from those mistakes.

토마스 에디슨

실수는 '이제 난 안돼, 끝났어'라는 의미가 아니에요.
성공에 한 발자국 가까이 다가갔으니, 더 도전해보면 성공할 수 있다는
메시지랍니다. 그러니 실수를 두려워하지 마세요.